Sadlier We·Believe

CREEMOS

Somos la Iglesia

We Are the Church

Tercer curso

Grade Three

Sadlier
Una división de William H. Sadlier, Inc.

...stat

...rendísimo Robert C. Morlino

...matur

...erendísimo Robert C. Morlino
...o de Madison
...e mayo del 2004

The *Nihil Obstat* and *Imprimatur* are official declarations that a book or pamphlet is free of doctrinal or moral error. No implication is contained therein that those who have granted the *Nihil Obstat* and *Imprimatur* agree with the contents, opinions, or statements expressed.

Acknowledgments

Scripture excerpts are taken from the *New American Bible with Revised New Testament and Psalms*. Copyright © 1991, 1986, 1970, Confraternity of Christian Doctrine, Inc., Washington, D.C. Used with permission. All rights reserved. No part of the *New American Bible* may be reproduced by any means without permission in writing from the copyright owner.

Excerpts from *La Biblia con Deuterocanónicos*, versión popular, copyright © 1966, 1970, 1979, 1983, William H. Sadlier, Inc. Distribuido con permiso de la Sociedad Bíblica Americana. Reservados todos los derechos.

Excerpts from the English translation of *Lectionary for Mass* © 1969, 1981, International Committee on English in the Liturgy, Inc. (ICEL); excerpts from the English translation of *The Roman Missal* © 1973, ICEL; excerpts from the English translation of *Rite of Penance* © 1974, ICEL; excerpts from the English translation of *A Book of Prayers* © 1982, ICEL. All rights reserved.

Excerpts from *Catholic Household Blessings and Prayers*, copyright © 1988, United States Catholic Conference, Inc. Washington, D.C. Used with permission. All rights reserved.

English translation of the Apostles' Creed, the Gloria Patri, the Gloria in Excelsis, the Sanctus, and the Lord's Prayer are by the International Consultation on English Texts (ICET). All rights reserved.

Excerpts from the *Ritual Conjunto de los Sacramentos* © 1976, CELAM, Departamento de Liturgia, Apartado aéreo 5278, Bogotá, Colombia. All rights reserved.

Excerpts from the *Misal Romano* © 1993, Conferencia Episcopal Mexicana, Obra Nacional de la Buena Prensa, A.C., Apartado M-2181, 06000 México, D.F. All rights reserved.

"Dios es amor," Lambert Joseph Luna, © 1984, OCP Publications, 5536 NE Hassalo, Portland, OR 97213. Derechos reservados. Usada con permiso. "Lift High the Cross" words: George W. Kitchin, Rev. Michael R. Newbolt; © 1974 Hope Publishing Co., Carol Stream, IL 60188. All rights reserved. Used with permission. "Vendrá el Señor," Maximino Carchenilla, © 1982, Maximino Carchenilla y Ediciones Musical PAX-PPC. Derechos reservados. Administrador exclusiva en EE.UU.: OCP Publications, 5536 NE Hassalo, Portland, OR 97213. Usada con permiso. "Whatsoever You Do," Willard F. Jabusch, © 1966, 1982, Willard F. Jabusch. Administered by OCP Publications, 5536 NE Hassalo, Portland, OR 97213. All rights reserved. Used with permission. "Cristo está conmigo," Juan A. Espinoza, © 1973, Juan A. Espinosa. Obra publicada por OCP Publications, 5536 NE Hassalo, Portland, OR 97213. Derechos reservados. Usada con permiso. "Jesus Is with Us," Owen Alstott, © 1990, OCP Publications, 5536 NE Hassalo, Portland, OR 97213. All rights reserved. Used with permission. "Cantaré alabanzas al Señor" Ricardo Mishler, © 1973, Ricardo Mishler. Obra publicada por OCP Publications, 5536 NE Hassalo, Portland, OR 97213. Derechos reservados. Usada con permiso. "We Sing Your Glory" Bernadette Farrell, © 1999, Bernadette Farrell. Published by OCP Publications, 5536 NE Hassalo, Portland, OR 97213. All rights reserved. Used with permission. "Somos todos el pueblo de Dios/We Are All the People of God," Peter Rubalcava, © 1989, NALR. Obra publicada por OCP Publications, 5536 NE Hassalo, Portland, OR 97213. Derechos reservados. Usada con permiso. "Pueblo

santo y elegido/Holy People, Chosen People" J. Pedro Martins, tr. en inglés de María Dolores Martínez, © 1981, 1999, J. Pedro Martins y San Pablo Comunicación, SSP. Derechos reservados. Administrador exclusiva en EE.UU.: OCP Publications, 5536 NE Hassalo, Portland, OR 97213. Usada con permiso. "Preparen el camino," Carlos Rosas, © 1992, Carlos Rosas. Obra publicada por OCP Publications, 5536 NE Hassalo, Portland, OR 97213. Derechos reservados. Usada con permiso. "Prepare the Way," © 1991, Christopher Walker. Published by OCP Publications, 5536 NE Hassalo, Portland, Or 97213. All rights reserved. Used with permission. "Do Not Delay," © 1995, Anne Quigley. Published by OCP Publications, 5536 NE Hassalo, Portland, OR 97213. All rights reserved. Used with permission. "Todos los que han sido bautizados," Fernando Rodríguez, © 1989, OCP Publications, 5536 NE Hassalo, Portland, OR 97213. Derechos reservados. Usada con permiso. "Creo en Jesús," Carmelo Erdozáin, © 1975, Carmelo Erdozáin y San Pablo Comunicación, SSP. Derechos reservados. Administradora exclusiva en EE.UU.: OCP Publications, 5536 NE Hassalo, Portland, OR 97213. Usada con permiso. "Jesus, We Believe in You," © 1990, Carey Landry and North American Liturgy Resources (NALR), 5536 NE Hassalo, Portland, OR 97213. All rights reserved. Used with permission. "Bienaventurados," Letra: De Mateo 5:3–12; Lourdes C. Montgomery. Música: Lourdes C. Montgomery. Letra y música © 1999, Lourdes C. Montgomery. Obra publicada por OCP Publications, 5536 NE Hassalo, Portland, OR 97213. Derechos reservados. Usada con permiso. "Walking Up to Jesus," © 1993, Daughters of Charity and Christopher Walker. Published by OCP Publications, 5536 NE Hassalo, Portland, OR 97213. All rights reserved. Used with permission. "Dios no quiere la muerte," Cesáreo Gabaráin, © 1989, Cesáreo Gabaráin. Obra publicada por OCP Publications, 5536 NE Hassalo, Portland, OR 97213. Derechos reservados. Usada con permiso. "Ashes," © 1978, New Dawn Music, 5536 NE Hassalo, Portland, OR 97213. All rights reserved. Used with permission. "Somos una iglesia," Letra: De Efesios 4:1–6, Eleazar Cortés; Música: Eleazar Cortés. Letra y música © 1994, Eleazar Cortés. Obra publicada por OCP Publications, 5536 NE Hassalo, Portland, OR 97213. Derechos reservados. "We Are the Church," © 1991, Christopher Walker. Published by OCP Publications, 5536 NE Hassalo, Portland, OR 97213. All rights reserved. Used with permission. "We Are the Church" was originally from "Come, Follow Me" music program, Benziger Publishing Company. "Sing a Song to the Saints," © 1991, Jack Louden. Published by OCP Publications, 5536 NE Hassalo, Portland, OR 97213. All rights reserved. Used with permission. "Santos del Señor," Jaime Cortez, © 1993, Jaime Cortez. Obra publicada por OCP Publications, 5536 NE Hassalo, Portland, OR 97213. Derechos reservados. Usada con permiso. "Gloria y alabanza/Glory and Praise" Letra: Español, *Rito de la Iniciación Cristiana de Adultos* © 1991, Conferencia Nacional de Obsipos Católicos. Derechos reservados. Con las debidas licencias. English: *Rite of Christian Initiation of Adults* © 1985, ICEL. Derechos reservados. Con las debidas licencias. Música: Juan J. Sosa, Pbro. (priest), © 1999, Juan J. Sosa, Pbro. Obra publicada por OCP Publications, 5536 NE Hassalo, Portland, OR 97213. Usada con permiso. "Glory and Praise to Our God," © 1976, Daniel L. Schutte and New Dawn Music, 5536 NE Hassalo, Portland, OR 97213. All rights reserved. Used with permission.

William H. Sadlier, Inc.
9 Pine Street
New York, NY 10005-1002

ISBN: 0-8215-5203-1
23456789/08 07 06 05 04

El programa *Creemos/We Believe* de Sadlier fue desarrollado por un reconocido equipo de expertos en catequesis, desarrollo del niño y currículo a nivel nacional. Estos maestros y practicantes de la fe nos ayudaron a conformar cada lección a la edad de los niños. Además, un equipo de respetados liturgistas, catequistas, teólogos y ministros pastorales compartieron sus ideas e inspiraron el desarrollo del programa.

El programa está basado en la sabiduría de la comunidad e incluye personalidades tales como:

Gerard F. Baumbach, Ed.D.
Director, Centro de Iniciativas Catequéticas
Profesor de teología
University of Notre Dame

Carole M. Eipers, D.Min.
Directora Ejecutiva de Catequesis
William H. Sadlier, Inc.

Consultores en liturgia y catequesis

Reverendo Monseñor John F. Barry
Párroco, Parroquia American Martyrs
Manhattan Beach, CA

Hermana Linda Gaupin, CDP, Ph.D.
Directora de Educación Religiosa
Diócesis de Orlando

Mary Jo Tully
Canciller, Arquidiócesis de Portland

Reverendo Monseñor John M. Unger
Superintendente Asociado
de Educación Religiosa
Arquidiócesis de San Luis

Consultores en currículo y desarrollo del niño

Hermano Robert R. Bimonte, FSC
Ex Superintendente de Educación Católica
Diócesis de Buffalo

Gini Shimabukuro, Ed.D.
Profesora Asociada
Institute for Catholic Educational Leadership
Escuela de Educación
Universidad de San Francisco

Consultores en la escritura

Reverendo Donald Senior, CP, Ph.D., S.T.D.
Miembro, Comisión Bíblica Pontificia
Presidente, Catholic Theological Union
Chicago, IL

Consultores en multicultura

Reverendo Allan Figueroa Deck, SJ, Ph.D.
Director Ejecutivo
Loyola Institute for Spirituality
Orange, CA

Kirk Gaddy
Director, St. Katharine School
Baltimore, MD

Reverendo Nguyễn Việt Hưng
Comité Catequético Vietnamita

Doctrina social de la Iglesia

John Carr
Secretario, Departamento de Desarrollo
Social y Paz Mundial, USCCB

Joan Rosenhauer
Coordinadora, Proyectos Especiales
Departamento de Desarrollo Social
y Paz Mundial, USCCB

Consultores en medios y tecnología

Hermana Caroline Cerveny, SSJ, D.Min.
Directora Asociada, Tecnología Académica
St. Leo University, Florida

Hermana Judith Dieterle, SSL
Ex Presidenta, Asociación Nacional de
Profesionales en Catequesis y Medios

Hermana Jane Keegan, RDC
Editora del Internet
William H. Sadlier, Inc.

El Ad Hoc Committee to Oversee the Use of the Catechism,
de la United States Conference of Catholic Bishops,
consideró que esta serie catequética, copyright 2005,
está en conformidad con el *Catecismo de la Iglesia Católica.*

The Ad Hoc Committee to Oversee the Use of the Catechism,
United States Conference of Catholic Bishops,
has found this catechetical series, copyright 2005,
to be in conformity with the *Catechism of the Catholic Church.*

Karla Gomez

Consultores en teología

Reverendísimo Edward K. Braxton, Ph.D., S.T.D.
Consultor Teólogo Oficial
Obispo de Lake Charles

Norman F. Josaitis, S.T.D.
Equipo Teológico, William H. Sadlier, Inc.

Reverendo Joseph A. Komonchak, Ph.D.
Profesor, Escuela de Estudios Religiosos
Catholic University of America

Reverendísimo Richard J. Malone, Th.D.
Obispo de Portland

Hermana Maureen Sullivan, OP, Ph.D.
Profesora Asistente de Teología
St. Anselm College, Manchester, NH

Consultores en mariología

Hermana M. Jean Frisk, ISSM, S.T.L.
International Marian Research Institute
Dayton, OH

Traducción y adaptación

Dulce M. Jiménez-Abreu
Directora de Programas en Español
William H. Sadlier, Inc.

Consultores en catequesis bilingüe

Rosa Monique Peña, OP
Arquidiócesis de Miami

Reverendísimo James Tamayo D.D.
Obispo de Laredo
Laredo, TX

Maruja Sedano
Directora, Educación Religiosa
Arquidiócesis de Chicago

Timoteo Matovina
Director, Cushwa Center para el Estudio del
Catolicismo en Estados Unidos
University of Notre Dame

Hermana María Luz Ortiz, MHSH
Educación Religiosa para Hispanos
Arquidiócesis de Washington

Reverendo José J. Bautista
Director, Oficina del Ministerio Hispano
Diócesis de Orlando

Equipo de desarrollo

Rosemary K. Calicchio
Vice Presidenta de Publicaciones

Melissa D. Gibbons
Directora de Investigaciones y
Desarrollo

Blake Bergen
Director Editorial

Alberto Batista

Erik Bowie

Joanna Dailey

Thelma Delgado

Maureen Gallo

Dignory Reina

Mary Ann Trevaskiss

Joanne Winne

Equipo consultor de Sadlier

Patricia Andrews
Directora, Educación Religiosa
Iglesia Nuestra Señora de Lourdes
Slidell, LA

Eleanor Ann Brownell, D.Min.
Vice Presidenta, Religión

Michaela M. Burke
Directora, Servicios de Consultoría

Judith A. Devine
Consultora Nacional de Ventas

Hermana Helen Hemmer, IHM
Consultora de Religión
Formación Espiritual

William M. Ippolito
Director Ejecutivo de Proyectos

Saundra Kennedy, Ed.D.
Consultora y Especialista en
Entrenamiento

Marie Murphy, Ph.D.
Consultora Nacional de Religión e
Investigación

Equipo de edición y operaciones

Deborah Jones
Vice Presidenta, Publicaciones y
Operaciones

Vince Gallo
Director Creativo

Francesca Moore

Jim Saylor

Eileen Gewirtzman

Martin Smith

Frank Comito

Indice

Contents

UNIDAD 3

La Iglesia nos dirige en la adoración

UNIDAD 4

Somos llamados a ser discípulos

unit 3

The Church Leads Us in Worship

unit 4

We Are Called to Discipleship

Dios nos envía a su propio Hijo

1

NOS CONGREGAMOS

✝ **Líder:** Vamos a estar muy quietos para escuchar esta historia cuando Dios invita a María a ser la madre de Jesús:

📖 Lucas 1:26–35

En el sexto mes, el ángel Gabriel fue enviado a hablar con María. El ángel le dijo que ella iba a tener un hijo y le dijo: "Le pondrás por nombre Jesús" (Lucas 1:31). Este niño será el Hijo de Dios.

Todos: Dios de amor, gracias por el regalo de tu Hijo, Jesús. Gracias por escoger a María para ser su madre.

☀ ¿Hay alguien especial en tu vida? ¿Cómo muestras que esa persona es importante para ti?

CREEMOS

El Hijo de Dios se hizo uno de nosotros.

Creemos en la Santísima Trinidad. La **Santísima Trinidad** es tres Personas en un Dios: Dios Padre, Dios Hijo y Dios Espíritu Santo. Dios Padre quiere que conozcamos su amor. Así que nos envió a su único Hijo. Dios Hijo es la segunda Persona de la Santísima Trinidad, hecha hombre. Esta verdad es llamada **encarnación**.

God Sends Us His Own Son

WE GATHER

✝ **Leader:** Let us be very still and listen to this story of God's invitation to Mary to become the mother of Jesus:

📖 Luke 1:26–35

In the sixth month, the angel Gabriel was sent to Mary. The angel told Mary that she would have a son and said to her, "You shall name him Jesus." (Luke 1:31) This child will be the Son of God.

All: Loving Father, thank you for the gift of your Son, Jesus. Thank you for choosing Mary to be his mother.

 Who is someone special in your life? How do you show this person is important to you?

WE BELIEVE

God the Son became one of us.

We believe in the Blessed Trinity. The **Blessed Trinity** is the three Persons in one God: God the Father, God the Son, and God the Holy Spirit. God the Father wants us to know his love. So he sent his only Son to be with us. God the Son, the second Person of the Blessed Trinity, became man. This truth is called the **Incarnation**.

Dios escogió a María para ser la madre de su Hijo y a José para ser el padre adoptivo. El Hijo de Dios fue llamado Jesús. *Jesús* significa "Dios salva".

Jesús es verdaderamente el Hijo de Dios. Jesús es divino. *Divino* es una palabra usada para describir a Dios. Jesús es verdaderamente el hijo de María. Jesús es humano. El es como nosotros en todo, menos en el pecado.

 ¿Cómo Dios Padre nos muestra su gran amor?

Jesús creció en Nazaret.

Jesús creció en el pueblo de Nazaret en Galilea. El era judío. Durante el tiempo de Jesús, las mamás como María enseñaban a sus hijos a rezar. Ellas les contaban maravillosas historias de sus antepasados, el pueblo judío.

Los hijos aprendían el trabajo de sus padres. José era un carpintero. Jesús aprendió de José como trabajar la madera y a construir cosas. En la Biblia Jesús es llamado "el hijo del carpintero". (Mateo 13:55)

 Lucas 2:41–51

Cuando Jesús tenía doce años fue, con María, José y sus familiares, a Jerusalén a celebrar una fiesta judía. Después de la celebración "el niño Jesús se quedó en Jerusalén, sin que sus padres se dieran cuenta". (Lucas 2:43)

María y José buscaron a Jesús por todas partes. Ellos no sabían que él estaba en el Templo hablando con algunos maestros. Todos estaban sorprendidos de las preguntas que Jesús hacía. Cuando María y José lo encontraron también se sorprendieron. Ellos querían que él regresara a Nazaret. Jesús obedeció y se fue con ellos.

 Escribe algo que crees puede haberle gustado a Jesús cuando tenía tu edad.

jugetes

God chose Mary to be the mother of his Son and Joseph to be his Son's foster father. The Son of God was named Jesus. *Jesus* means "God saves."

Jesus is truly the Son of God. Jesus is divine. *Divine* is a word we use to describe God. Jesus is truly the son of Mary. Jesus is human. He is like us in all things except this: He is without sin.

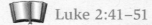 How did God the Father show us his great love?

Jesus grew up in Nazareth.

Jesus grew up in the town of Nazareth in Galilee. He was a Jew. During Jesus' time, mothers like Mary would teach their children how to pray. They would tell them wonderful stories of their ancestors, the Jewish people who lived before them.

Sons learned what their fathers did for a living. Joseph was a carpenter. Jesus learned from Joseph how to work with wood and build things. So in the Bible Jesus is called "the carpenter's son." (Matthew 13:55)

Luke 2:41–51

When Jesus was twelve years old, he went to Jerusalem to celebrate a Jewish feast with Mary, Joseph, and their relatives. After the celebration "the boy Jesus remained behind in Jerusalem, but his parents did not know it." (Luke 2:43)

Mary and Joseph searched everywhere for Jesus. They did not know that he was in the Temple talking with some teachers. Everyone was amazed at the questions Jesus asked. When Mary and Joseph found Jesus, they were surprised, too. They wanted him to return to Nazareth. Jesus obeyed and went with them.

 Write about one thing you think Jesus might have enjoyed doing when he was your age.

_____

Jesús empieza su trabajo.

Jesús tenía un primo llamado Juan. Juan era un profeta. Un **profeta** es alguien llamado por Dios para hablar al pueblo.

Juan preparó al pueblo para recibir a Jesús. El dijo: "Vuélvanse a Dios, porque el reino de Dios está cerca" (Mateo 3:2). **Arrepentirse** significa alejarse del pecado y pedir ayuda a Dios para ser mejor.

Mucha gente fue bautizada por Juan. Este bautismo fue una señal de que se alejaban del pecado y regresaban a Dios.

Aun cuando Jesús no tenía pecado, él se dejo bautizar por Juan. Cuando Jesús salía del agua, Dios, Espíritu Santo, vino hasta él en forma de paloma. Se escuchó una voz diciendo: "Este es mi Hijo amado, a quien he elegido". (Mateo 3:17)

Jesús empezó su trabajo con el pueblo. Esto es llamado su **vida pública**.

Los profetas nos recuerdan que Dios nos ama y nos cuida. ¿Cuáles son algunas formas en que puedes recordar a la gente que Dios los ama?

Como católicos...

Los primeros seguidores de Jesús empezaron a llamarle *Señor* porque se dieron cuenta de que él era divino. Al llamar Señor a Jesús, la gente mostraba respeto y confianza en su poder divino. ¿Cuáles son otros títulos que tenemos para Jesús?

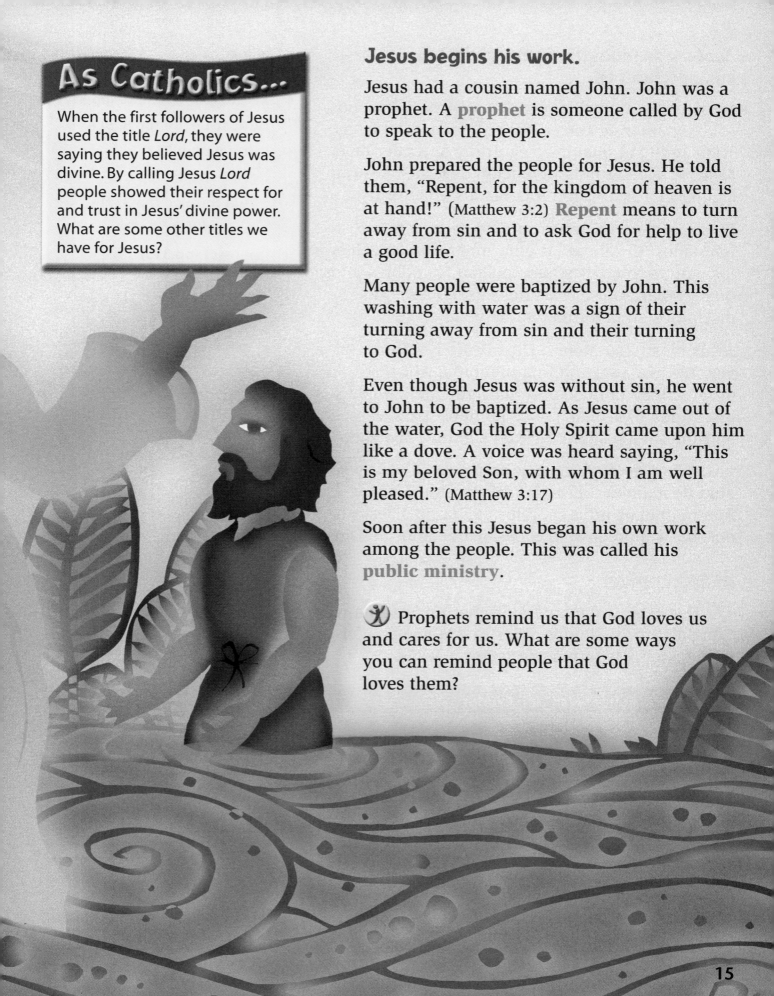

Jesus begins his work.

Jesus had a cousin named John. John was a prophet. A **prophet** is someone called by God to speak to the people.

John prepared the people for Jesus. He told them, "Repent, for the kingdom of heaven is at hand!" (Matthew 3:2) **Repent** means to turn away from sin and to ask God for help to live a good life.

Many people were baptized by John. This washing with water was a sign of their turning away from sin and their turning to God.

Even though Jesus was without sin, he went to John to be baptized. As Jesus came out of the water, God the Holy Spirit came upon him like a dove. A voice was heard saying, "This is my beloved Son, with whom I am well pleased." (Matthew 3:17)

Soon after this Jesus began his own work among the people. This was called his **public ministry**.

Prophets remind us that God loves us and cares for us. What are some ways you can remind people that God loves them?

Jesús nos muestra como vivir como sus seguidores.

Jesús llamó al pueblo a creer en Dios. El enseñó sobre el amor de Dios y curó a muchas personas. Jesús invitó al pueblo a seguirlo y aprender de él. Muchos aceptaron la invitación de Jesús. Los que siguieron a Jesús fueron llamados **discípulos**.

En su ministerio, Jesús trató de llegar a los ignorados. El sanó a los enfermos y dio de comer a los hambrientos. Pasó tiempo con los pobres y los que estaban solos. Jesús nos enseñó a ser sus discípulos en la forma en que vivió.

Jesús mostró su amor a Dios Padre rezando. Una vez fue solo a rezar a una montaña. Ahí rezó durante toda la noche. Al día siguiente llamó a sus discípulos y escogió a doce hombres para ser sus apóstoles. La palabra **apóstol** significa "enviado".

Los apóstoles de Jesús compartieron su vida y su obra de manera especial. Viajaron con Jesús y fueron amigos íntimos. Ellos ayudaron a Jesús a enseñar y a predicar el mensaje del amor de Dios.

RESPONDEMOS

Usa esta pantalla para diseñar una página web. Con palabras y dibujos muestra a la gente en el mundo algunas formas de seguir a Jesús.

Vocabulario

Santísima Trinidad (pp 317)

Encarnación (pp 315)

profeta (pp 317)

arrepentirse (pp 315)

vida pública (pp 317)

discípulo (pp 315)

apóstol (pp 315)

Jesus shows us how to live as his followers.

Jesus called people to believe in God. He taught about God's love and healed many people. Jesus invited people to follow him and learn from him. Many women and men said yes to Jesus' invitation. Those who followed Jesus were called his **disciples**.

In his ministry, Jesus tried to reach out to those who were ignored by others. He healed the sick and fed the hungry. He spent time with the poor and lonely. Jesus showed us how to be his disciples by the way he lived.

Jesus showed his love for God his Father by praying often. Once Jesus went by himself to a mountain to pray. He spent the whole night there in prayer. The next day he called his disciples together and chose twelve men to be his apostles. The word **apostle** means "one who is sent."

Jesus' apostles shared in his life and his work in a special way. They traveled with Jesus and became his close friends. They helped him teach and spread the message of God's love.

Key Words

Blessed Trinity (p. 318)

Incarnation (p. 319)

prophet (p. 320)

repent (p. 320)

public ministry (p. 320)

disciples (p. 318)

apostle (p. 318)

WE RESPOND

Use the computer screen below to design a Web page. Use words and drawings to show people from all over the world some way to follow Jesus.

Encierra en un círculo la letra al lado de la respuesta correcta.

1. La _____ es tres Personas en un solo Dios.

    a. encarnación   **b.** Biblia   **c.** Santísima Trinidad

2. La _____ es la verdad de que el Hijo de Dios se hizo hombre.

    a. encarnación   **b.** Biblia   **c.** Santísima Trinidad

3. El nombre Jesús significa "_____".

    a. Dios da   **b.** Dios ama   **c.** Dios salva

4. Enviado es uno que es un _____.

    a. apóstol   **b.** discípulo   **c.** seguidor

Completa esta oración.

5. Cuando Jesús crecía _aprdia a aser lla quero_

su papa asia

_____

Reflexiona y ora

Jesús es divino y humano. El nos enseña sobre el amor y la misericordia de Dios. El nos muestra como vivir como sus fieles seguidores. Completa esta oración con tus propias palabras.

Jesús, quiero seguir tu ejemplo. Jesús, ayúdame a _____

_____

Review

Circle the letter beside the correct answer.

1. The _____ is the three Persons in one God.

   a. Incarnation   **b.** Bible   **c.** Blessed Trinity

2. The _____ is the truth that the Son of God became man.

   a. Incarnation   **b.** Bible   **c.** Blessed Trinity

3. The name Jesus means "_____."

   a. God gives   **b.** God loves   **c.** God saves

4. "One who is sent" is _____.

   a. an apostle   **b.** a disciple   **c.** a follower

Complete this sentence.

5. When Jesus was growing up in his family, _____

   _____

   _____

Reflect & Pray

Jesus is divine and human. He teaches us about God's love and mercy. He shows us how to live as his faithful followers. Complete the prayer in your own words.

Jesus, I want to follow your example. Jesus, help me to _____

_____

Respondemos y compartimos la fe

Compartiendo lo aprendido

Mira la ilustración. Usala para decir a tu familia lo que aprendiste en este capítulo.

Recuerda

- El Hijo de Dios se hizo uno de nosotros.
- Jesús creció en Nazaret.
- Jesús empieza su trabajo.
- Jesús nos muestra como vivir como sus seguidores.

Oración en familia

Dirige a tu familia en esta oración.

Dios Padre, te damos gracias por este día. Gracias por enviarnos a tu Hijo, Jesús, para salvarnos y mostrarnos como vivir. Amén.

NUESTRA VIDA CATOLICA

Asociación del Santo Niño

La Asociación del Santo Niño invita a los niños a ayudar a otros niños. Una forma en que los niños pueden ayudar es colectando dinero para las familias necesitadas en el mundo. Los adultos en la asociación explican a los niños como viven las familias en otros países. Muestran a los niños como el dinero ayuda a las familias de otros niños en todo el mundo.

Visita Sadlier en

www.CREEMOSweb.com

Conexión con el Catecismo
Para referencia vea los párrafos 460, 533, 517 y 561.

We Respond and Share the Faith

Sharing What I Learned

Look at the picture. Use it to tell your family what you learned in this chapter.

Remember

- God the Son became one of us.
- Jesus grew up in Nazareth.
- Jesus begins his work.
- Jesus shows us how to live as his followers.

Family Prayer

Lead your family in this prayer.

God, our Father, we thank you for this day. Thank you for sending us your Son, Jesus, to save us and show us how to live. Amen.

OUR CATHOLIC LIFE
Holy Childhood Association

The Holy Childhood Association invites children to help one another. One way that children can help one another is by collecting money for needy families all over the world. Adult members of the Holy Childhood Association tell children how families in other countries live. They show children how their money helps other children's families all over the world.

Connect to the Catechism
For adult background and reflection, see paragraphs 460, 533, 517, and 561.

Visit Sadlier's

www.CREEMOSweb.com

2 Jesús nos enseña sobre el amor de Dios

✟ **Líder:** Vamos a rezar:

🎵 **Dios es amor**

Todos: Dios es amor. Dios es amor.
Y el que vive en amor
vive en Dios y Dios en él.

El amor es la paciencia.
El amor es bienestar.
El amor es entendimiento
entre todos y en todo lugar.

Líder: El mismo Señor es Señor de todo, él responde a todo el que lo llama. Porque "Todos los que invoquen el nombre del Señor, alcanzarán la salvación". (Romanos 10:13)

Todos: Proclamemos el amor de Cristo.
Que todo el mundo adore su santo nombre.

☀ ¿Cómo puedes mostrar que amas a tu familia? ¿Cómo tus familiares muestran que te aman?

CREEMOS

Jesús nos dice lo mucho que Dios nos ama.

Jesús enseñó que Dios nos ama a cada uno. Hay muchos ejemplos sobre el gran amor de Dios. Podemos leerlos en la Biblia. La Biblia es una colección de libros sobre el amor de Dios por nosotros y sobre nuestro llamado a vivir como pueblo de Dios. Es también llamada *Escritura*.

Jesus Teaches Us About God's love

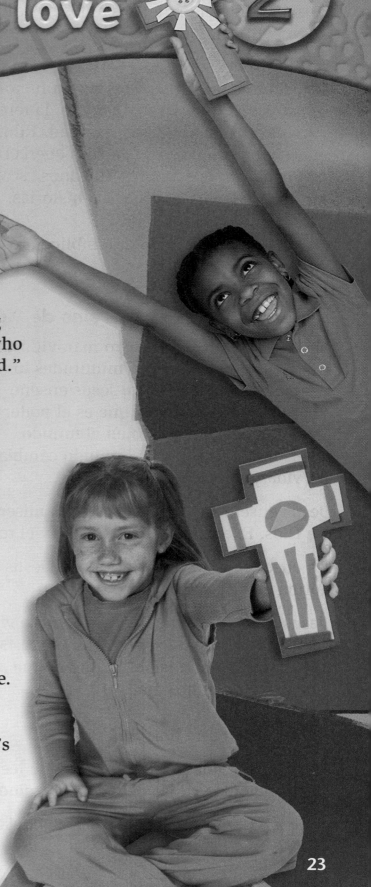

WE GATHER

✝ **Leader:** Let us gather together to pray.

🎵 **Lift High the Cross**

All: Lift high the cross,
the love of Christ proclaim
Till all the world adore his
sacred name.

Leader: The same Lord is Lord of all, giving
to all who call upon him. For "everyone who
calls on the name of the Lord will be saved."
(Romans 10:13)

All: Lift high the cross,
the love of Christ proclaim
Till all the world adore his sacred name.

 How can you show that you love your
family? How do your family members
show their love for you?

WE BELIEVE

Jesus tells us how much God loves us.

Jesus taught that God loves each one of us.
There are many examples of God's great love.
We can read about them in the Bible. The
Bible is a collection of books about God's
love for us and about our call to live as God's
people. It is also called *Scripture*.

La Biblia tiene dos partes llamadas *testamentos*. El Antiguo Testamento es sobre el pueblo de Dios antes de Jesús. El Nuevo Testamento es sobre la vida de Jesucristo y el inicio de la Iglesia.

Los autores humanos de la Biblia fueron guiados por Dios, Espíritu Santo, la tercera Persona de la Santísima Trinidad. Ellos escribieron sobre cosas que Dios quería compartir con nosotros. Los autores humanos escogieron las palabras para escribir sus historias.

Habla sobre tu historia bíblica favorita sobre Jesús.

Jesús enseña sobre el reino de Dios.

Jesús debió ser un maestro maravilloso. Leemos en la Biblia que multitudes lo seguían para escucharlo. Jesús enseñó sobre el **reino de Dios**, que es el poder del amor de Dios activo en el mundo. Jesús quería que todo el mundo cambiara su vida y regresara a Dios.

Jesús enseñó sobre el perdón y la misericordia de Dios. El enseñó sobre el amor y el respeto.

La enseñanza más importante de Jesús fue la forma en que vivió.

Jesús dijo: "Ni aun el Hijo el hombre vino para que le sirvan, sino para servir". (Marcos 10:45) El quiere que hagamos lo mismo. El quiere que amemos a los demás como él nos ama.

Termina esta oración:

El reino de Dios no es como los que leemos en los libros o vemos en las películas. El reino de Dios es

amor respeto fe misericordia

The Bible has two parts, called *testaments*. The Old Testament is about the people of God before the time of Jesus. The New Testament is about the life of Jesus Christ and the beginning of the Church.

The human authors of the Bible were guided by God the Holy Spirit, the third Person of the Blessed Trinity. They wrote about things that God wanted to share with us. Yet the human authors did choose the words for the stories they wrote.

Talk about your favorite story about Jesus from the Bible.

Jesus teaches about the Kingdom of God.

Jesus must have been a wonderful teacher. We learn from the Bible that crowds followed him to hear what he had to say. Jesus often taught about the **Kingdom of God**, which is the power of God's love active in the world. Jesus wanted everyone to change their lives and turn to God.

Jesus taught about God's forgiveness and mercy. He taught about love and respect for others.

Jesus' greatest teaching was the way he lived. Jesus said that he "did not come to be served but to serve." (Mark 10:45) He wants us to do the same. He wants us to love one another as he loves us.

Write your own ending to this sentence:

The Kingdom of God is not like the kingdoms we read about in books or see in movies. The Kingdom of God is

_____

Jesús enseña sobre el don de la fe.

La **fe** es un don de Dios. Significa que Dios nos ayuda a creer y a confiar en él. Jesús nos enseña sobre la fe en Dios en sus historias y sus obras.

 Lucas 17:5–6

Un día Jesús estaba enseñando y sus apóstoles le pidieron que les diera más fe. Jesús respondió: "Si ustedes tuvieran fe, aunque sólo fuera del tamaño de una semilla de mostaza, podrían decirle a esta morera; 'Arráncate de aquí y plántate en el mar', y el árbol les haría caso". (Lucas 17:6)

Una semilla de mostaza es muy pequeña. Es como del tamaño de la punta de un lápiz. Un árbol de mora es muy fuerte. Imagina ser capaz de hacer que ese árbol se levante y se vaya al mar.

Jesús estaba diciendo a sus apóstoles que la fe es muy poderosa. La fe nos ayuda a creer lo que no podemos ver, sentir o tocar.

Árbol de moras, Vincent van Gogh

Como católicos...

María es el mayor ejemplo de fe. Durante toda su vida ella siempre creyó en Dios. Cuando el ángel Gabriel se le apareció a María le dijo que había sido escogida para ser la madre del Hijo de Dios, Jesús. Confiando en Dios, María dijo: "Yo soy esclava del Señor, que Dios haga conmigo como me has dicho" (Lucas 1:38).

Escribe una forma en que la gente comparte su fe contigo.

Mi mama dijo "si puedes pacar el excamen" y si Pace

Jesus teaches about the gift of faith.

Faith is a gift from God. This means that God helps us to believe and trust in him. Jesus teaches us about faith in God by his stories and his actions.

 Luke 17:5–6

One day Jesus was teaching. His apostles asked him to give them more faith. Jesus replied, "If you have faith the size of a mustard seed, you would say to [this] mulberry tree, 'Be uprooted and planted in the sea,' and it would obey you." (Luke 17:6)

A mustard seed is very tiny. It is about the size of the tip of a pencil. A mulberry tree is very strong. Imagine being able to make this tree lift itself into the sea!

Jesus was telling his apostles that faith is very powerful. Faith allows us to believe what we cannot see or feel or touch.

As Catholics...

Mary is a great example of faith. Throughout her entire life she always believed in God. When the angel Gabriel appeared to her, Mary was told that God had chosen her to be the mother of Jesus, God's own Son. Trusting in God, Mary said, "Behold, I am the handmaid of the Lord. May it be done to me according to your word." (Luke 1:38)

Write one way other people share their faith with you.

_____

_____

_____

Jesús muere y resucita por nosotros.

Jesús vivió de tal forma que la gente se dio cuenta de que él amaba a Dios. Algunas personas poderosas no querían a Jesús por lo que decía y hacía.

 Lucas 23:33–34

Jesús fue arrestado y condenado a muerte como un criminal. Jesús fue **crucificado**, clavado en una cruz. Cuando estaba muriendo Jesús rezó: "Padre, perdónalos, porque no saben lo que hacen". (Lucas 23:34)

María, la madre de Jesús, y otras mujeres discípulos y Juan estuvieron con Jesús al pie de la cruz. Los demás discípulos se escondieron porque tenían miedo. Después de muerto el cuerpo de Jesús fue puesto en una tumba.

 Lucas 24:1–12

Temprano el domingo, algunas mujeres fueron a la tumba. Ellas llevaban aceite y especias para ungir el cuerpo de Jesús. Cuando llegaron a la tumba, vieron que estaba vacía. El cuerpo de Jesús no estaba.

Dos hombres vestidos con ropas brillantes les dijeron: "No está aquí, sino que ha resucitado" (Lucas 24:6). Las mujeres fueron a contar la noticia a los apóstoles.

Llamamos **resurrección** a que Jesús volvió a la vida después de la muerte. Jesús murió y resucitó para que todos nos salváramos y viviéramos con Dios por siempre.

RESPONDEMOS

Piensa que estabas con las mujeres cuando fueron a la tumba. ¿Cómo te hubieras sentido? ¿Qué hubieras hecho y dicho? Dramatízalo.

Jesus dies and rises to save us.

Jesus lived his life in such a way that people knew he loved God. Some powerful people hated Jesus because of what he did and said.

 Luke 23: 33–34

Jesus was arrested and put to death. Like a criminal, Jesus was **crucified**, nailed to a cross. Yet even as he was dying, Jesus prayed, "Father, forgive them, they know not what they do." (Luke 23:34)

Mary, the mother of Jesus, and other women disciples stayed by Jesus' cross with John the apostle. The other disciples hid because they were afraid. After Jesus died, his body was laid in a tomb.

 Luke 24:1–12

Early Sunday morning some women returned to the tomb. They were carrying oils and spices to anoint the body of Jesus. When they reached the tomb, they saw that it was empty. The body of Jesus was not there!

Two men in dazzling garments told the women, "He is not here, but he has been raised." (Luke 24:6) The women went and told the apostles the news.

We call Jesus' being raised from the dead the **Resurrection**. Jesus died and rose so that all people could be saved and live with God forever.

WE RESPOND

Pretend you were with the women who went to the tomb. How would you have felt? What would you have done and said? Act it out.

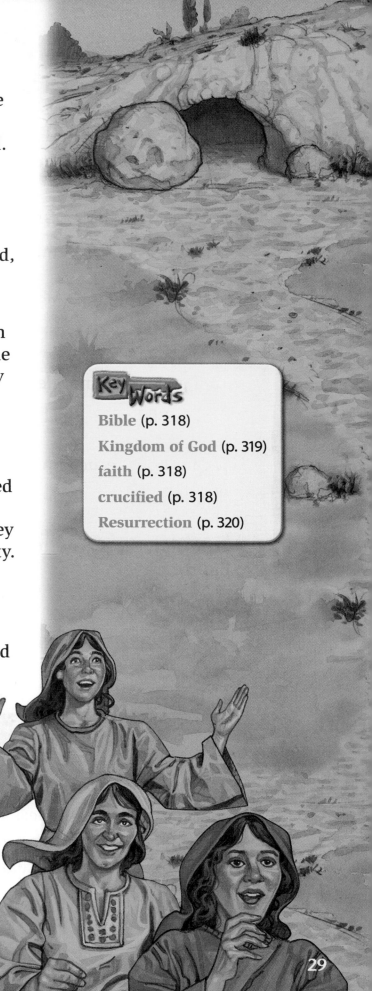

Key Words

Bible (p. 318)

Kingdom of God (p. 319)

faith (p. 318)

crucified (p. 318)

Resurrection (p. 320)

29

Repaso — Capítulo 2

Encierra en un círculo la letra al lado de la respuesta correcta.

1. Creer y confiar en Dios quiere decir tener __A__.

   a. fe   **b.** miedo   **c.** enojo

2. Los autores humanos de la Biblia fueron guiados por __b__.

   a. Mateo   **b.** el Espíritu Santo   **c.** Los discípulos

3. El poder del amor de Dios activo en el mundo es __C__.

   a. la Biblia   **b.** el Padrenuestro   **c.** el reino de Dios

4. Que Jesús resucitara de la muerte es la __C__.

   a. tumba   **b.** fe   **c.** resurrección

Completa la siguiente oración con tus propias palabras.

5. Fe quiere decir _Creer y confiar_

_____

_____

Reflexiona y ora

Todos los discípulos de Jesús, excepto Juan y las mujeres, tuvieron miedo cuando crucificaron a Jesús. Jesús, quédate conmigo, especialmente cuando _resusite_

_____

_____

Circle the letter beside the correct answer.

1. To believe and trust in God means to have _____.

   a. faith   **b.** fear   **c.** anger

2. The human authors of the Bible were guided by _____.

   a. Matthew   **b.** the Holy Spirit   **c.** the disciples

3. The power of God's love active in the world is called the _____.

   a. Bible   **b.** Our Father   **c.** Kingdom of God

4. Jesus being raised from the dead is called _____.

   a. the tomb   **b.** faith   **c.** the Resurrection

Use your own words to complete this sentence.

5. Faith means _____

_____

_____

Reflect & Pray

All the disciples except John and the women ran away in fear when Jesus was crucified. Jesus, keep me close to you, especially when _____

_____

Respondemos y compartimos la fe

Compartiendo lo aprendido

Mira la ilustración. Usala para decir a tu familia lo que aprendiste en este capítulo.

Recuerda

- Jesús nos dice lo mucho que Dios nos ama.
- Jesús enseña sobre el reino de Dios.
- Jesús enseña sobre el don de la fe.
- Jesús muere y resucita por nosotros.

NUESTRA VIDA CATOLICA

La Biblia

La Biblia es un libro importante en la vida de todos los católicos. Cuando celebramos los sacramentos, escuchamos y leemos de este libro especial. Escuchamos sobre el amor eterno de Dios y su bondad para su pueblo. Aprendemos como Dios quiere que vivamos. La Biblia es la palabra de Dios y es parte importante de nuestra fe. Cada día puede hacerse viva en nuestras vidas si escuchamos lo que Dios tiene que decirnos.

Visita Sadlier en

www.CREEMOSweb.com

Conexión con el Catecismo
Para referencia vea los párrafos 104, 541, 153 y 638.

We Respond and Share the Faith

Sharing What I Learned

Look at the picture. Use it to tell your family what you learned in this chapter.

Remember

- Jesus tells us how much God loves us.
- Jesus teaches about the Kingdom of God.
- Jesus teaches about the gift of faith.
- Jesus dies and rises to save us.

OUR CATHOLIC LIFE

The Bible

The Bible is an important book in the lives of all Catholics. When we celebrate the sacraments, we listen to readings from this special book. We hear about God's never-ending love and kindness for his people. We learn how God wants us to live. The Bible, the word of God, is an important part of our faith. Each day it can come alive in our lives if we are listening to what God has to say to us.

Connect to the Catechism
For adult background and reflection, see paragraphs 104, 541, 153, and 638.

Visit Sadlier's

www.CREEMOSweb.com

NOS CONGREGAMOS

✝ **Líder:** Vamos a escuchar las palabras de Jesús en el Evangelio de Mateo:

Lector: "Pues tuve hambre, y ustedes me dieron de comer; tuve sed, y me dieron de beber; anduve como forastero, y me dieron alojamiento. Me faltó ropa, y ustedes me la dieron; estuve enfermo, y me visitaron; estuve en la cárcel, y vinieron a verme". (Mateo 25:35–36)

Palabra del Señor.

Todos: Gloria a ti, Señor Jesús.

 Vendrá el Señor

Vendrá el Señor;
con su luz nos llenará.
Vendrá el Señor,
y a su pueblo salvará.

 ¿Has escuchado alguna vez sobre alguien que tiene poderes especiales? Describe lo que esa persona puede hacer.

CREEMOS

Jesús tiene poder sobre la vida y la muerte.

Jesús amó a sus amigos. Entre sus mejores amigos estaban Marta, María y su hermano Lázaro. Esta familia vivía en un pueblo llamado Betania.

frijoles

Christ Will Come Again

WE GATHER

✝ **Leader:** Let us listen to the words of Jesus in Saint Matthew's Gospel:

Reader: "For I was hungry and you gave me food, I was thirsty and you gave me drink, a stranger and you welcomed me, naked and you clothed me, ill and you cared for me, in prison and you visited me." (Matthew 25:35–36)

The Gospel of the Lord.

All: Praise to you, Lord Jesus Christ.

🎵 **Whatsoever You Do**

When I was hungry,
  you gave me to eat;
When I was thirsty,
  you gave me to drink.
Now enter into the home
  of my Father.

☀ Have you ever heard about someone who has special power? Describe what that person could do.

WE BELIEVE

Jesus has power over life and death.

Jesus loved his friends. Among his best friends were Martha, Mary, and their brother Lazarus. This family lived in a town called Bethany.

35

Juan 11:1–3, 17–44

Un día Lázaro enfermó de gravedad. Sus hermanas enviaron un mensaje a Jesús diciéndoselo. Cuando Jesús llegó a Betania, Lázaro ya había muerto y estaba enterrado.

Marta le dijo a Jesús que si él hubiera estado ahí, él hubiera curado a Lázaro. Jesús le dijo: "Yo soy la resurrección y la vida. El que cree en mí, aunque muera, vivirá". Marta le dijo: "Sí, Señor, yo creo que tú eres el Mesías, el Hijo de Dios, el que tenía que venir al mundo". (Juan 11:25, 27)

María la otra hermana de Lázaro, vino a saludar a Jesús. Estaba llorando. Las hermanas le mostraron a Jesús donde habían enterrado a Lázaro. Y Jesús empezó a llorar.

Una roca grande tapaba la entrada del lugar. Jesús gritó fuerte: "¡Lázaro, sal de ahí!" (Juan 11:43). Y Lázaro salió.

Jesús había resucitado a Lázaro y más personas empezaron a creer que Jesús era el Mesías, el Hijo de Dios.

Jesús es la Resurrección y la Vida. Si Jesús te preguntara: "¿Crees esto?" ¿Qué dirías?

Jesús vendrá de nuevo.

Un día los discípulos querían que Jesús les dijera cuando sería el fin del mundo. Jesús les dijo: "Manténganse ustedes despiertos, porque no saben en qué día va a venir su Señor" (Mateo 24:42).

Jesús no quiso decir que no debemos dormir nunca. El quiso decir que debemos estar preparados para su venida. Nos preparamos rezando y con las cosas que decimos y hacemos.

📖 John 11:1–3, 17–44

One day Lazarus became very sick. His sisters sent a message to Jesus telling him about Lazarus. When Jesus reached Bethany, Lazarus had already died and been buried.

Martha cried to Jesus that if he had been there, he could have cured Lazarus. Jesus said, "I am the resurrection and the life; whoever believes in me, even if he dies, will live." Martha told Jesus, "I have come to believe that you are the Messiah, the Son of God." (John 11:25, 27)

Mary, Lazarus's other sister, came to greet Jesus. She was also crying. The sisters showed Jesus where Lazarus was buried, and Jesus began to cry.

A huge rock lay across the entrance to the place where Lazarus was buried. Jesus ordered that it be taken away. Then Jesus cried out in a loud voice, "Lazarus, come out!" (John 11: 43) With that, Lazarus came out.

Jesus had raised Lazarus from the dead and more people began to believe that Jesus was the Messiah, the Son of God.

👤 Jesus is the Resurrection and the life. If he asked you, "Do you believe this?" what would you say?

Jesus will come again.

One day the disciples wanted Jesus to tell them when the world would end. But Jesus said, "Stay awake! For you do not know on which day your Lord will come." (Matthew 24:42)

Jesus did not mean that our bodies should never go to sleep. He meant that we should always be preparing for his coming. We do this through prayer and the things we say and do.

Jesús nació en Belén. Esa fue su primera venida. Jesús vendrá de nuevo al final de los tiempos, y lo veremos. Será un evento de gozo. Este es llamado la **segunda venida**.

Cuando Cristo vuelva nos llenaremos de gozo y felicidad. Conoceremos a Jesús porque lo veremos. Nuestra vida con el Cristo resucitado estará para siempre llena de gozo.

Podemos "mantenernos despiertos" para la segunda venida de Jesucristo, viviendo de la forma en que él nos enseñó. Escribe una forma en que te mantendrás despierto esta semana.

alerta enjesios jugando

Cuando Jesucristo vuelva, él juzgará a todo el mundo.

La gente puede escoger estar con Dios o alejarse de Dios. Estas decisiones determinan si la persona estará con Dios en el cielo o no. **Cielo** es la vida eterna con Dios.

Mateo 25:31–43

Jesús dijo a sus seguidores que al final de los tiempos él vendrá en gloria con todos los ángeles. El separará a las personas en dos grupos, uno a su derecha y otro a su izquierda.

Entonces, él dirá a las personas a su derecha que son benditos por su Padre. El les dirá: "Pues tuve hambre, y ustedes me dieron de comer; tuve sed, y me dieron de beber; anduve como forastero, y me dieron alojamiento. Me faltó ropa, y ustedes me la dieron; estuve enfermo, y me visitaron; estuve en la cárcel, y vinieron a verme". Entonces las personas a su derecha les preguntarán cuando lo vieron asi. Y él les dirá: "Les aseguro que todo lo que hicieron por uno de estos hermanos míos más humildes, por mí mismo lo hicieron". (Mateo 25:35–36, 40)

extranjero
enfermo
solo
HAMBRE

Como católicos...

Fue un milagro que Jesús resucitara a Lázaro de la muerte. Los milagros de Jesús, caminar sobre las aguas, calmar el mar, sanar a los enfermos, fueron más allá del poder humano. Cada milagro fue una llamada a creer que Jesús fue enviado por Dios para salvar a su pueblo. Los milagros de Jesús fueron señales especiales para ayudar al pueblo a confiar y creer en Dios. Ellos mostraron a la gente que el reino de Dios estaba presente en sus vidas.

Jesus was born in Bethlehem. That was his first coming. Jesus will come again at the end of time, and we will see him for ourselves. Jesus' coming at the end of time will be a joyful event. It is called his **second coming**.

When Christ comes again, we will be filled with joy and happiness. We will know Jesus because we will see him. Our life with the risen Christ will go on in joy forever.

 We can "stay awake" for the second coming of Jesus Christ by living each day the way he taught us. Write one way you will "stay awake" in faith this week.

When Jesus Christ comes again, he will judge all people.

People can choose to be with God or to turn away from God. These choices will determine whether people can be with God in heaven or not. **Heaven** is life with God forever.

Matthew 25:31–43

Jesus told his followers that at the end of time he will come in glory with all the angels. He will separate all the people into two groups, one to his right and one to his left.

Then he will tell the people on his right that they are blessed by his Father. He will say, "For I was hungry and you gave me food, I was thirsty and you gave me drink, a stranger and you welcomed me, naked and you clothed me, ill and you cared for me, in prison and you visited me." Then the people on his right will ask when they saw him like this. And he will say, "Amen, I say to you, whatever you did for one of these least brothers of mine, you did for me." (Matthew 25:35–36, 40)

HUNGER

Stranger lonely

As Catholics...

Jesus' raising Lazarus from the dead was a miracle. Jesus' miracles—walking on water, calming the seas, healing the sick—went beyond human power. Each miracle was a call to believe that Jesus was sent by God to save his people.

Jesus' miracles were special signs that helped people to trust and believe in God. Each showed people that God's kingdom was present in their lives.

Entonces Jesús dirá a los que estén a su izquierda que se aparten de su lado para siempre porque ellos no se preocuparon por él cuando tenía hambre, sed, era extranjero, estaba enfermo, desnudo o en la cárcel.

Cuando escogemos amar y cuidar de otros, amamos y cuidamos de Jesús. Seremos juzgados por la forma en que tratamos a otros. El **juicio final** es la venida de Jesucristo al final de los tiempos para juzgar a todos.

 ¿Cómo tu parroquia cuida de otros?

Una catecista celebrando
Bautismo office material.

Jesús nos enseña a amar a los demás.

Jesús vivió su vida con amor perfecto a Dios, el Padre, y al servicio de los demás. El es nuestro ejemplo de santidad.

Marcos 12:28–32

Un día, un hombre le preguntó a Jesús cual era el mandamiento más importante. Jesús le contestó: "Ama al Señor tu Dios con todo tu corazón, con toda tu alma, con toda tu mente y con todas tus fuerzas. Y el segundo es: 'Ama a tu prójimo como a ti mismo'. Ningún mandamiento es más importante que éstos" (Marcos 12:30–31).

Si amamos a Dios, a los demás y a nosotros mismos, hemos escogido seguir a Jesús. El puede ayudarnos a tomar las decisiones correctas. El puede darnos el valor para tratar bien a los demás.

Vocabulario

segunda venida (pp 317)

cielo (pp 315)

juicio final (pp 316)

RESPONDEMOS

En grupo hablen sobre por que creen que Jesús nos dijo que el amor es lo más importante.

Jesus will then tell those on his left to go away from him forever because they did not care for him when he was hungry, thirsty, a stranger, ill, unclothed, or in prison.

When we choose to love and care for other people, we love and care for Jesus. We will be judged by the way we treated others. The **last judgment** is Jesus Christ's coming at the end of time to judge all people.

 How does your parish care for others?

_____

_____

Key Words

second coming (p. 320)

heaven (p. 319)

last judgment (p. 319)

Jesus teaches us to love others.

Jesus lived his life in perfect love of God the Father and in service to others. He is our example of holiness.

Mark 12:28–32

One day, a man asked Jesus which commandment was the greatest. Jesus replied, "'You shall love the Lord your God with all your heart, with all your soul, with all your mind, and with all your strength.' The second is this: 'You shall love your neighbor as yourself.' There is no other commandment greater than these." (Mark 12:30–31)

If we love God, and we love others as we love ourselves, we are choosing to follow Jesus. He can help us make the right choice. He can give us the courage to treat others.

WE RESPOND

In a group, talk about why you think Jesus told us that love is the most important thing of all.

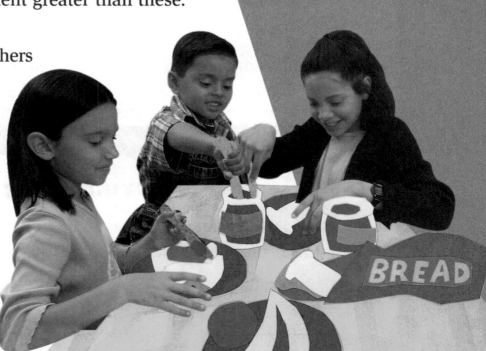

I can make my brother a sandwich.

Capítulo 3

Encierra en un círculo la letra al lado de la respuesta correcta.

1. Jesús es la resurrección y _____.

   a. el reino   **b.** la crucifixión   **(c.)** la vida

2. La primera venida de Jesús fue en su nacimiento. Jesús vendrá de nuevo _____.

   a. En la   **(b.)** al final   **c.** en la
última cena   de los tiempos   resurrección

3. En _____ Jesús vendrá a juzgar a todos en la forma en que trataron a los demás.

   a. la última cena   **b.** en la misa   **(c.)** el juicio final

4. Vivir por siempre con Dios es _____.

   a. el nacimiento   **b.** la Iglesia   **(c.)** el cielo

Contesta.

5. Jesús vendrá a juzgarnos en el _el juicio_

final

Reflexiona y ora

Piensa en las decisiones que has tomado. ¿Cómo te han ayudado a seguir a Jesús? Completa esta oración:

Jesús, ayúdame a _____

_____

Review

Circle the letter beside the correct answer.

1. Jesus is the Resurrection and the _____.

    a. kingdom   **b.** crucifixion   **c.** life

2. Jesus' first coming was his birth. Jesus will come again at the _____.

    a. Last Supper   **b.** end of time   **c.** Resurrection

3. At the _____ Jesus will judge people by the way they treated others.

    a. Last Supper   **b.** Mass   **c.** last judgment

4. Life with God forever is called _____.

    a. birth   **b.** the Church   **c.** heaven

Use your own words to complete this sentence.

5. Jesus will judge us on _____

    _____

Reflect & Pray

Think about the choices you make. How do they help you to follow Jesus? Complete this prayer.

Jesus, help me _____

_____

Respondemos y compartimos la fe

Compartiendo lo aprendido

Mira la ilustración. Usala para decir a tu familia lo que aprendiste en este capítulo.

Recuerda

- Jesús tiene poder sobre la vida y la muerte.
- Jesús vendrá de nuevo.
- Cuando Jesucristo vuelva, él juzgará a todo el mundo.
- Jesús nos enseña a amar a los demás.

Oración en familia

(Dirige a tu familia en esta oración)

Vamos a proclamar nuestra fe.

Anunciamos tu muerte.
(todos bajan la cabeza)

Proclamamos tu resurrección.
(todos se ponen de pie)

¡Ven, Señor Jesús!
(todos levantan sus manos)

NUESTRA VIDA CATOLICA

Preocuparse por los demás

Los católicos en muchos países se preocupan de los necesitados porque vemos a todas las personas como criaturas amadas por Dios. La Iglesia defiende los derechos de los pobres, los enfermos y los moribundos. Se nos recuerda, hacer lo que podamos por los que tienen hambre, dar alojamiento al que no tiene techo y trabajar por la justicia y la paz.

Visita Sadlier en

www.CREEMOSweb.com

Conexión con el Catecismo
Para referencia vea los párrafos 547, 671, 678 y 1970.

We Respond and Share the Faith

Sharing What I Learned

Look at the picture. Use it to tell your family what you learned in this chapter.

Remember

- Jesus has power over life and death.
- Jesus will come again.
- When Jesus Christ comes again, he will judge all people.
- Jesus teaches us to love others.

Family Prayer

(Lead your family in this prayer.)

Let us proclaim our faith.

Christ has died.
(All bow from the waist.)

Christ is risen.
(All stand.)

Christ will come again. Amen.
(All raise their hands in the air.)

OUR CATHOLIC LIFE

Care for All People

Catholics in every country reach out to those in need because we see all people as created and loved by God. The Church defends the rights of the poor and needy, the sick and the dying. We are reminded in many to do what we can to feed the hungry, to provide homes for the homeless, and to work for peace and justice.

Connect to the Catechism
For adult background and reflection, see paragraphs 547, 671, 678, and 1970.

Visit Sadlier's

www.CREEMOSweb.com

La Iglesia empieza

NOS CONGREGAMOS

✝ **María:** Vengan mis hijos, vamos a rezar.
Ahora viene el que nos va ayudar
y nos mostrará el camino.

Todos: Vamos a esperar y a rezar.

Pedro: Escuchen, escuchen, ¿oyen
soplar un viento fuerte y claro?

Andrés: Un viento que me quita
el miedo y me da valor.

Santiago: Miren, miren hay una
llama en la cabeza de todos.

Juan: Y tenemos un gran deseo
de predicar su palabra como fuego poderoso.

Todos: Espíritu de Jesús, llénanos
de tu vida y de amor. Amén.

☀ Piensa en una vez en que tuviste miedo
a algo. ¿Quién o qué te dio el valor de
vencer el miedo?

CREEMOS

Jesús promete enviar al Espíritu Santo.

Jesús sabía que sus seguidores
sentirían miedo cuando él los dejara.
Así que les prometió enviarles una
ayuda especial, el Espíritu Santo,
quien siempre estaría con ellos.

The Church Begins

WE GATHER

✝ **Mary:** Come, my children, let us pray.
There will come to us this day
The Helper who will show the way.

All: Let us wait and let us pray.

Peter: Listen, listen, do you hear
A wind that is blowing strong and clear?

Andrew: A wind that seems to stir in me
No longer fear, but bravery.

James: Look, look, above each the same,
A burning fire, a glowing flame.

John: And we are filled with great desire
To spread his word like a mighty fire.

All: Spirit of Jesus, fill us all
with life and love. Amen.

☀ Think back to a time when you were
afraid of something. Who or what gave
you the courage to overcome your fear?

WE BELIEVE

Jesus promises to send the Holy Spirit.

Jesus knew that his followers would be afraid when he had to leave them. So he promised to send them a special Helper, the Holy Spirit, who would always be with them.

Mateo 28:16–20

Cuarenta días después de su resurrección, Jesús se encontró con sus apóstoles en Galilea. Ese fue su último encuentro en la tierra. Jesús dio a sus apóstoles una **misión**, un trabajo especial, para hacer discípulos en todo el mundo. Ellos debían bautizar en nombre de Dios el Padre, el Hijo y el Espíritu Santo, donde quiera que fueran. Jesús dijo: "Yo estaré con ustedes todos los días, hasta el fin del mundo". (Mateo 28:20)

Entonces, Jesús ascendió y regresó a su Padre en el cielo. Este evento es llamado **ascensión**. Después de la ascensión los apóstoles regresaron a Jerusalén. Ellos no sabían como iban a hablar sobre Jesús.

María, la madre de Jesús, también regresó a Jerusalén. Ella rezaba con los apóstoles y los discípulos mientras esperaban la venida del Espíritu Santo.

Piensa en la espera de los discípulos por la venida del Espíritu Santo. ¿Cómo crees que se sentían?

El Espíritu Santo viene a los discípulos.

Hechos de los Apóstoles 2:1–41

Dentro de la habitación donde estaban reunidos los discípulos escucharon un ruido como el de un viento fuerte. Vieron algo parecido a lenguas de fuego tocando las cabezas de todos. De repente, los discípulos fueron llenos del Espíritu Santo. Fueron cambiados de una forma maravillosa.

Una multitud estaba afuera. Los discípulos salieron del cuarto y empezaron a hablar acerca de Jesús con gran valor. Estonces Pedro, el líder, habló a todos. El les dijo que Dios había resucitado a Jesús. Pedro les dijo que ese Jesús crucificado y resucitado era verdaderamente el Señor, Jesucristo.

📖 Matthew 28:16–20 *Karla*

Forty days after his Resurrection, Jesus met his apostles in Galilee. It was their last meeting with him on earth. Jesus gave his apostles a **mission**, or special job, to make disciples of all nations. The apostles were to baptize people everywhere in the name of God the Father, the Son, and the Holy Spirit. Jesus said, "Behold, I am with you always, until the end of the age." (Matthew 28:20)

Then Jesus ascended and returned to the Father in heaven. This event is called the **Ascension**. After Jesus' Ascension, his apostles returned to Jerusalem. They did not know how they would ever be able to tell the whole world about Jesus.

Mary, the mother of Jesus, also returned to Jerusalem. She prayed with the apostles and disciples as they waited for the coming of the Holy Spirit.

Think about the disciples waiting for the Holy Spirit to come. How do you think they felt?

The Holy Spirit comes to the disciples.

📖 Acts of the Apostles 2:1–41

Inside a room where they had gathered, the disciples heard a noise that sounded like a great wind. They saw what seemed to be flames of fire that spread out and touched each one of them. Suddenly, the disciples were filled with the Holy Spirit. They were changed in a wonderful way.

A large crowd was outside. The disciples came out of the room and began to speak about Jesus with great courage. Then Peter, the leader of all of the disciples, spoke to the people. He told them that God had raised Jesus from the dead. Peter told them that this Jesus who had been crucified and rose is truly the Lord, Jesus Christ.

Los apóstoles y los primeros discípulos contaron la buena nueva de Jesucristo a todo el mundo. Esto se llama *evangelización*. Somos llamados a evangelizar. El papa y los obispos quieren que cada uno de nosotros sea parte de la "nueva evangelización". Esto quiere decir que la buena nueva de Jesús tiene el mismo efecto que tuvo durante el tiempo de los primeros discípulos.

Cuando Pedro habló a la multitud, el pueblo lo entendió en sus diferentes idiomas. Preguntaron que debían hacer. Pedro contestó: "Vuélvanse a Dios y bautícese cada uno en el nombre de Jesucristo, para que Dios les perdone sus pecados, y así él les dará el Espíritu Santo" (Hechos de los apóstoles 2:38). Muchos creyeron y cerca de tres mil fueron bautizados ese día. El día en que el Espíritu Santo vino a los apóstoles es llamado **Pentecostés**. El Espíritu Santo viene a nosotros también. El Espíritu Santo nos ayuda a ser fieles seguidores de Jesús.

¿Cómo los discípulos fueron cambiados cuando el Espíritu Santo vino a ellos?

La Iglesia empieza en Pentecostés.

En Pentecostés, los discípulos compartieron su buena nueva sobre Jesús con los ahí reunidos. Pronto, muchas personas empezaron a bautizarse y a recibir al Espíritu Santo. Este fue el inicio de la Iglesia. La **Iglesia** es la comunidad de personas bautizadas y que siguen a Jesucristo.

Los creyentes escuchaban las enseñanzas de los apóstoles. Ellos se reunían a rezar y a "partir el pan" como lo hicieron Jesús y los apóstoles en la última cena (Hechos de los apóstoles 2:42). Ellos compartían todo lo que tenían. También cuidaban de los más pobres y necesitados. Trataban a todo el mundo con amor y respeto.

Después de la venida del Espíritu Santo los apóstoles y otros discípulos empezaron a viajar. Predicaban la buena nueva de Jesús a la gente de otros lugares. Nuevas comunidades de creyentes crecían en todas partes. Los bautizados empezaron a ser llamados **cristianos**, porque seguían a Jesucristo.

Imagina que eres uno de los primeros cristianos. Trabaja con un compañero para preparar un discurso sobre Jesús.

When Peter spoke to the crowd, the people understood him in their different languages. They asked him what they should do. Peter replied, "Repent and be baptized, every one of you, in the name of Jesus Christ for the forgiveness of your sins; and you will receive the gift of the holy Spirit." (Acts of the Apostles 2:38) Many people accepted this message, and about three thousand people were baptized that day.

The day on which the Holy Spirit came to the disciples is called **Pentecost**. The Holy Spirit comes to us, too. The Holy Spirit helps us to be brave followers of Jesus.

How were the disciples changed when the Holy Spirit came to them?

The Church begins on Pentecost.

On Pentecost, the disciples shared their good news about Jesus with the people gathered around them. Soon, many people were baptized and received the Holy Spirit. This was the beginning of Jesus' Church. The **Church** is the community of people who are baptized and follow Jesus.

They listened to the teaching of the apostles. They came together for prayer and for "the breaking of the bread" as Jesus and the apostles did at the Last Supper. (Acts of the Apostles 2:42) They shared everything they owned with one another. They cared for those among them who were poor or in need. They treated everyone with love and respect.

Soon after the coming of the Holy Spirit, the apostles and other disciples began to travel. They preached the good news of Jesus to people in other places. Communities of new believers grew everywhere. Those people who were baptized began to be called **Christians**, because they were followers of Jesus Christ.

Imagine that you are one of the first Christians. Work with a partner to make a speech about following Jesus.

La primera Iglesia crece.

La Iglesia crecía y los que estaban en el poder empezaron a preocuparse porque muchas personas se hacían cristianas. Durante ese tiempo, el discípulo Esteban predicaba acerca de Jesús. El convirtió a muchos al cristianismo. Los enemigos de la Iglesia se enojaron mucho y apedrearon a muerte a Esteban.

 Hecho de los Apóstoles 9:3–5

Saulo de Tarso era un hombre decidido a detener a los creyentes en Jesús. Un día Saulo viajaba por una calle y una brillante luz que venía del cielo lo envolvió. El cayó al suelo y escuchó una voz diciéndole: "Saulo, Saulo, ¿por qué me persigues?" Saulo quería saber quien le hablaba. Y escuchó: "Yo soy Jesús, el mismo a quien estás persiguiendo". (Hechos de los Apóstoles 9:4–5)

La vida de Saulo cambió para siempre. Tres días más tarde fue bautizado. Saulo, también conocido como Pablo, llegó a ser uno de los más grandes seguidores de Jesucristo en toda la historia.

Pablo hizo muchos viajes para construir comunidades cristianas en todo el mundo. Predicó y dio ejemplo de valor a muchos creyentes en Cristo. Su trabajo y el trabajo de muchos otros ayudó a la Iglesia a crecer. Personas de todas las razas, idiomas y nacionalidades creyeron en Cristo.

> ### RESPONDEMOS
> ¿Como podemos mostrar a los demás en nuestro vecindario y a las familias de la parroquia que seguimos a Jesucristo?

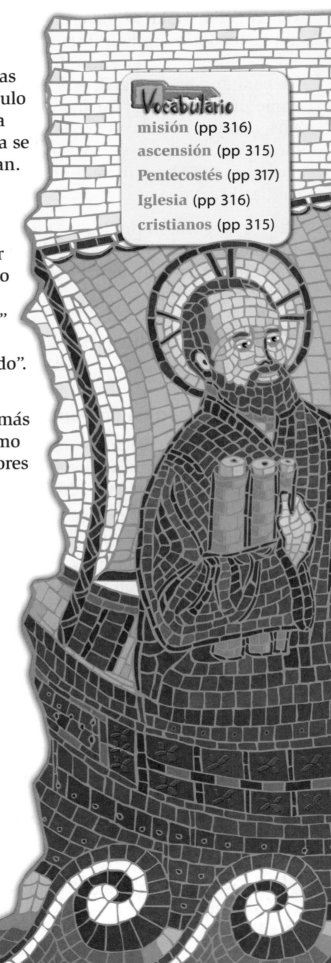

Vocabulario
misión (pp 316)

ascensión (pp 315)

Pentecostés (pp 317)

Iglesia (pp 316)

cristianos (pp 315)

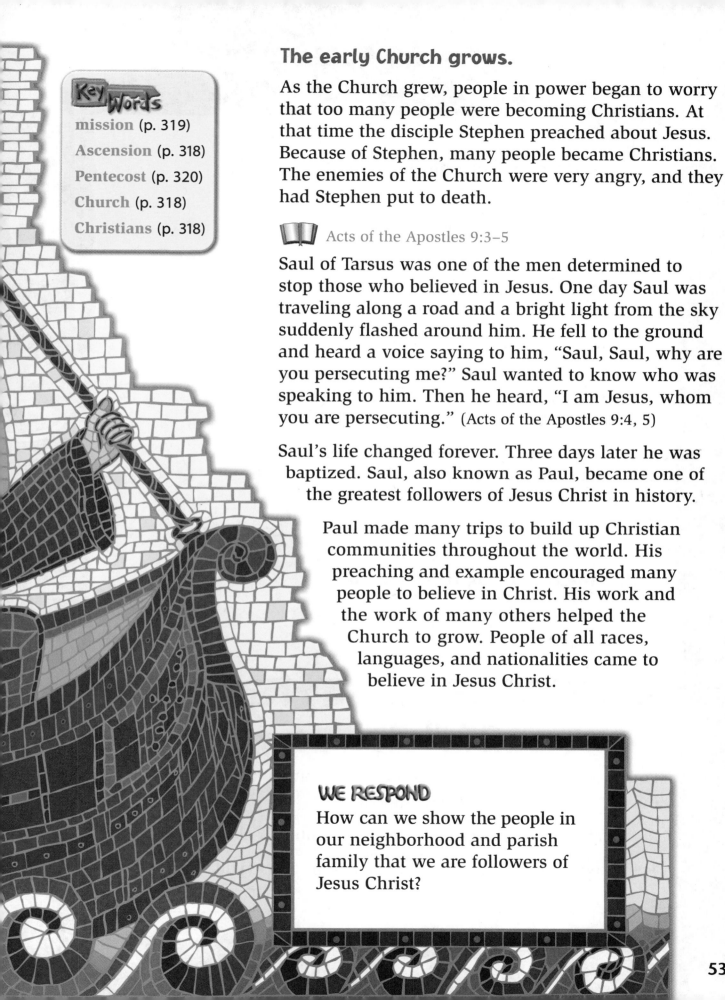

Key Words

mission (p. 319)

Ascension (p. 318)

Pentecost (p. 320)

Church (p. 318)

Christians (p. 318)

The early Church grows.

As the Church grew, people in power began to worry that too many people were becoming Christians. At that time the disciple Stephen preached about Jesus. Because of Stephen, many people became Christians. The enemies of the Church were very angry, and they had Stephen put to death.

Acts of the Apostles 9:3–5

Saul of Tarsus was one of the men determined to stop those who believed in Jesus. One day Saul was traveling along a road and a bright light from the sky suddenly flashed around him. He fell to the ground and heard a voice saying to him, "Saul, Saul, why are you persecuting me?" Saul wanted to know who was speaking to him. Then he heard, "I am Jesus, whom you are persecuting." (Acts of the Apostles 9:4, 5)

Saul's life changed forever. Three days later he was baptized. Saul, also known as Paul, became one of the greatest followers of Jesus Christ in history.

Paul made many trips to build up Christian communities throughout the world. His preaching and example encouraged many people to believe in Christ. His work and the work of many others helped the Church to grow. People of all races, languages, and nationalities came to believe in Jesus Christ.

WE RESPOND

How can we show the people in our neighborhood and parish family that we are followers of Jesus Christ?

Repaso

Encierra en un círculo la letra al lado de la respuesta correcta.

1. Jesús prometió enviarnos al __a__.

   (a.) Espíritu Santo **b.** Mesías **c.** Padre

2. Jesús dijo a los apóstoles que fueran a __b__.

   a. esconderse **(b.)** bautizar **c.** tener miedo

3. El Espíritu Santo vino a los discípulos en __c__.

   a. la ascensión **b.** pascua **(c.)** Pentecostés

4. Todos los bautizados y seguidores de Cristo son llamados __c__.

   a. maestros **b.** enemigos **(c.)** cristianos

Completa esta siguiente oración.

5. El Espíritu Santo siempre está __con nosotros__

_____

Reflexiona y ora

Podemos hacer el trabajo de Jesús en el mundo compartiendo la buena nueva, rezando y ayudando a otros.

Piensa en lo que harás esta semana para continuar el trabajo de Jesús.

Jesús, ayúdame a hacer tu trabajo en el mundo. Ayúdame a

_____

Circle the letter beside the correct answer.

1. Jesus promised to send the _____.

    a. Holy Spirit   **b.** Messiah   **c.** Father

2. Jesus told the apostles to go and _____.

    a. hide   **b.** baptize   **c.** be afraid

3. The Holy Spirit came upon the disciples on _____.

    a. the Ascension   **b.** Easter   **c.** Pentecost

4. All those who are baptized and follow Christ are called _____.

    a. teachers   **b.** enemies   **c.** Christians

Complete this sentence.

5. The Holy Spirit is always _____

_____

Reflect & Pray

We can carry out Jesus' work in the world by sharing the good news, praying, and helping others.

Think about what you will do this week to continue Jesus' work.

Jesus, help me to carry on your work in the world. Help me to

_____

Respondemos y compartimos la fe

Compartiendo lo aprendido

Mira la ilustración. Usala para decir a tu familia lo que aprendiste en este capítulo.

Recuerda

- Jesús promete enviar al Espíritu Santo.
- El Espíritu Santo viene a los discípulos.
- La Iglesia empieza en Pentecostés.
- La primera Iglesia crece.

Ventana del Espíritu Santo

Diseña y colorea con tu familia una ventana de vitrales para recordar al Espíritu Santo.

NUESTRA VIDA CATOLICA

Buena nueva

Hoy, la Iglesia proclama la buena nueva de Jesús en todo los rincones de la tierra y en todos los idiomas. Por ejemplo: si viajamos a otros paises escuchamos el mensaje de Jesús en el idioma nativo. Aquí, la misa y otros sacramentos son celebrados en muchos otros idiomas además del inglés. No importa el idioma, el mensaje de amor de Jesús siempre es el mismo.

Visita Sadlier en

www.CREEMOSweb.com

Conexión con el Catecismo
Para referencia vea los párrafos 729, 731, 732 y 849.

We Respond and Share the Faith

Sharing What I Learned

Look at the picture. Use it to tell your family what you learned in this chapter.

Remember

- Jesus promises to send the Holy Spirit.
- The Holy Spirit comes to the disciples.
- The Church begins on Pentecost.
- The early Church grows.

A Holy Spirit Window

With your family, design and color a stained-glass window that will remind everyone of the Holy Spirit.

OUR CATHOLIC LIFE

Good News

Today, the Church proclaims the good news of Jesus everywhere on earth and in every language. For example, if we travel, we could hear Jesus' message in the language of that country. Here in our own country, Mass and the other sacraments are celebrated in different languages, as well as in English. No matter the language, the message of Jesus' love will always be the same.

Connect to the Catechism
For adult background and reflection, see paragraphs 729, 731, 732, and 849.

Visit Sadlier's

www.CREEMOSweb.com

5 Aprendemos sobre la Iglesia primitiva

NOS CONGREGAMOS

✝ **Líder:** Hagamos un círculo para rezar. Siéntense en posición cómoda.

Aquiétense, aquiétense . . . aquiétense. Cierren los ojos. Ahora respirando, en silencio digan:

Jesús, Jesús, Jesús.

☀ ¿Has deseado ser el líder de un grupo?

CREEMOS

Los apóstoles dirigieron la Iglesia.

Los apóstoles vivieron con Jesús durante tres años. Ellos sabían lo bueno y bondadoso que era. Ellos comieron y bebieron con él. Escucharon sus palabras todos los días. Lo vieron sanar enfermos y resucitar muertos.

Dondequiera que iban contaban a todo el mundo sobre Jesucristo. Ellos bautizaron a los que creyeron en Jesús. En cada lugar que visitaban los apóstoles, reunían a los nuevos cristianos. Así formaron la Iglesia. Como los apóstoles tenían que moverse para continuar el trabajo de Jesús, escogían líderes en cada lugar.

En el Nuevo Testamento hay un libro que nos cuenta la historia del trabajo de los apóstoles en los inicios de la Iglesia. Este libro es Hechos de los apóstoles. En el leemos que los primeros cristianos escucharon

WE GATHER

✝ **Leader:** Let us gather in a prayer circle. Sit in a comfortable position.

Become still . . . still . . . still.
Close your eyes. Now, as you breathe out, whisper the name

Jesus, Jesus, Jesus.

☀ Have you ever wanted to be a leader of a group or team?

WE BELIEVE

The apostles led the Church.

The apostles lived with Jesus for three years. They knew how kind and caring he was. They ate and drank with him. They heard his words every day. They saw him heal the sick and raise the dead.

Wherever they went, the apostles began to tell everyone about Jesus Christ. They baptized all those who believed in Jesus. In each place that they visited, the apostles gathered these new Christians together. This is how they formed the Church. The apostles had to move on to continue the work of Jesus so they chose leaders in each place.

There is a wonderful book in the New Testament that tells the story of the work of the apostles in the early Church. It is called the Acts of the Apostles. In that book, we read that the early Christians listened to the las enseñanzas de los apóstoles y cuidaban uno del otro "Según las necesidades de cada uno". (Hechos de los apóstoles 2:45). La Iglesia creció porque los cristianos se amaban y servían unos a otros.

Nombra una forma en que los apóstoles fueron buenos líderes de la Iglesia.

Los discípulos de Jesús compartieron la buena nueva.

Los seguidores de Jesús querían que todo el mundo conociera la buena nueva de Jesucristo:

• Jesús es el Hijo de Dios. El vino al mundo y se hizo uno de nosotros para mostrarnos en persona el amor de Dios.

• Jesús es el Salvador del mundo. Todos hemos sido salvados por la vida, muerte y resurrección de Jesucristo.

Los que creyeron y aceptaron la buena nueva se bautizaron y se hicieron miembros de la Iglesia. Escucharon lo que los apóstoles decían de Jesús y sus enseñanzas. Se reunían a compartir la Eucaristía y "Lo que los apóstoles les enseñaban". (Hechos de los Apóstoles 2:42)

Otra palabra para "buena nueva" es evangelio. El **evangelio** es la buena nueva de que somos salvos por Jesucristo, el Hijo de Dios. Igual que los primeros discípulos somos llamados a compartir el evangelio.

Junto con un compañero, en una hoja de papel, escriban alguna buena nueva sobre Jesús que deseen compartir con alguien. Compartan la buena nueva con el grupo.

teachings of the apostles and looked after one another "according to each one's need." (Acts of the Apostles 2:45) The Church grew because Christians loved and served one another.

 Name one way the apostles were good leaders of the Church.

The disciples of Jesus share the good news.

The followers of Jesus wanted everyone they met to know the good news of Jesus Christ:

- Jesus is the Son of God. He came into the world to become one of us and show us, in person, the love of God.

- Jesus is the Savior of the whole world. All of us have been saved by the life, death, and Resurrection of Jesus Christ.

Those who believed and accepted the good news were baptized and became members of the Church. They listened to what the apostles told them about Jesus and his teachings. They gathered together to share the Eucharist and "devoted themselves to the teaching of the apostles." (Acts of the Apostles 2:42)

Another word for "good news" is *gospel*. The **gospel** is the good news that we are saved by Jesus Christ, the Son of God. Like the first disciples, we are called to share the gospel.

 Work with a partner. On a strip of paper, write some good news about Jesus that you wish to share with someone. Gather in a circle and share your good news.

En griego, la palabra pez, *ichthus*, está formada de las primeras letras de "Jesús y Cristo", "Hijo de Dios" y "Salvador". El pez fue un símbolo importante para los primeros cristianos. Ponían este símbolo en las paredes de los lugares donde se reunían a celebrar su fe. También lo usaban para marcar los lugares donde eran enterrados los cristianos. Como era un símbolo que los romanos no usaban, los cristianos se sentían seguros usándolo. El símbolo era usado para el nombre y la buena nueva de Jesucristo.

Los seguidores de Jesús defendieron su fe.

La Iglesia empezó en un tiempo en que muchos países estaban bajo el Imperio Romano. Los romanos querían que todo el mundo adorara sus falsos dioses. Los cristianos adoraban a un solo y verdadero Dios. Muchos romanos pensaron que los cristianos eran una amenaza para el poder del emperador. Los cristianos fueron forzados a adorar a los dioses romanos o enfrentar la muerte.

Los líderes romanos trataron de hacer que los cristianos renegaran de su fe en Jesucristo. Muchos cristianos fueron apresados por no renegar. Algunos cristianos murieron por su fe. Llamamos **mártires** a los que mueren por su fe.

Nombra a alguien que conoces y que defiende su fe. Reza por esa persona.

Mi abutita

Muchos de nuestros antepasados en la fe fueron ejemplos de santidad.

Millones de cristianos han vivido antes que nosotros. Ellos son nuestros antepasados en la fe. Porque vivieron vidas santas la Iglesia llama santos a algunos de ellos.

Santas Perpetua y Felícita fueron dos ejemplos de santidad. Ambas se hicieron cristianas en los inicios de la Iglesia. Fueron arrestadas y tratadas brutalmente por los guardias. Ambas se negaron a adorar dioses romanos. Siguieron creyendo en Jesús aun cuando fueron sentenciadas a muerte.

The followers of Jesus stood up for their faith.

The Church began at a time when many countries were part of the Roman Empire. The Romans wanted everyone to worship their false gods. But the Christians would worship only the one, true God. Many Romans thought the Christians were a threat to the emperor's power. Soon the Christians were forced to worship Roman gods or face death.

The Roman leaders tried to make the Christians give up their faith in Jesus Christ. Many Christians were put in prison because they would not. Some Christians even died for their faith. We call people who die for their faith **martyrs**.

Name someone you know who stands up for his or her faith. Pray for that person.

Many of our ancestors in faith are examples of holiness.

Millions of Christians have lived before us. They are our ancestors in faith. Because of their holy lives the Church calls some of them saints.

Saints Perpetua and Felicity are two examples of holiness. Both of them were preparing to become Christians in the early years of the Church. Because of this they were arrested and treated terribly by the guards. Yet they both refused to worship Roman gods. They continued to believe in Jesus even when they were put to death.

Benozzo Gozzoli (1420–1497), San Agustín

San Agustín vivió en el norte de Africa. Cuando joven era muy popular. Estaba tan ocupado gozando que no tenía tiempo para Dios. Según maduraba se dio cuenta de que su vida no tenía sentido.

Agustín se dio cuenta de que Dios podía dar sentido a su vida. Empezó a cambiar. Su amor y necesidad de Dios siguió creciendo. Agustín llegó a ser obispo y un gran escritor.

Aunque estos santos vivieron hace muchos años, la llamada a la santidad es la misma hoy día.

Hechos de los apóstoles (pp 316)

evangelio (pp 315)

mártires (pp 316)

RESPONDEMOS

Encuentra y encierra en un círculo las siguientes palabras:

Jesús   servir

Rezar   Justos

cantar   Leales

J U S T O S M J
X S E R V I R E
W C A N T A R S
R E Z A R K L U
N Y L E A L E S

¿Como puedes imitar a lo santos?

Saint Augustine lived in North Africa. He was very popular when he was young. He was so busy enjoying himself that he never had time to think about God. As he grew older, he began to feel that his life had no meaning.

Augustine realized that God could give his life meaning. Augustine began to change. His love and need for God continued to grow. Augustine became a bishop and one of the Church's great writers.

These saints may have lived years ago, but their call to be holy is the same as ours is today.

Acts of the Apostles (p. 318)

gospel (p. 319)

martyrs (p. 319)

Saints Perpetua and Felicity (mosaic, sixth century)

WE RESPOND

Find and circle the following words:

Jesus	help
worship	fair
pray	just

```
F A I R J U S T
H E L P E X O H
A W O R S H I P
I T S A U M N D
R G O Y S R U O
```

How can we follow the saints?

Capítulo 5

Encierra en un círculo la letra al lado de la respuesta correcta.

1. La palabra *evangelio* significa ___*C*___.

   a. Iglesia   **b.** apóstol   (**c.**) buena nueva

2. En Hechos de los apóstoles leemos sobre el trabajo de ___*C*___.

   a. Santa Felícita   **b.** la iglesia primitiva   (**c.**) San Agustín

3. Un ___*D*___ es alguien que muere por la fe.

   a. mártir   (**b.**) discípulo   **c.** seguidor

4. Agustín y Perpetua son ejemplos de ___*A*___.

   (**a.**) apóstoles   **b.** mártires   **c.** santidad

Completa la siguiente oración.

5. Los primeros cristianos se reunían a _____

_____

Reflexiona y ora

Esta semana quiero compartir la buena nueva de Jesucristo que nos habla sobre

_____

Necesito ayuda para hacerlo. Pediré a un santo que me ayude.

Querido _____

Circle the letter beside the correct answer.

1. The word *gospel* means _____.

   a. Church   **b.** apostle   **c.** good news

2. In the Acts of the Apostles we read about the work of _____.

   a. Saint Felicity   **b.** the early Church   **c.** Saint Augustine

3. A _____ is someone who dies for the faith.

   a. martyr   **b.** disciple   **c.** follower

4. Augustine and Perpetua are examples of _____.

   a. apostles   **b.** martyrs   **c.** holiness

Use your own words to complete this sentence.

5. The early Christians gathered together to _____

   _____

Reflect & Pray

This week, I want to share the good news of Jesus Christ that tells us

_____

I will need help to do this. I will ask one of the saints to help me.

Dear _____

_____

Respondemos y compartimos la fe

Compartiendo lo aprendido

Mira la ilustración. Usala para decir a tu familia lo que aprendiste en este capítulo.

Recuerda

- Los apóstoles dirigieron la Iglesia.
- Los discípulos de Jesús compartieron la buena nueva.
- Los seguidores de Jesús defendieron su fe.
- Muchos de nuestros antepasados en la fe fueron ejemplos de santidad.

Oración en familia

Oremos:
Jesús, te damos gracias por traernos la buena nueva. Mi buena nueva hoy es _____.

(Cada uno añade su buena nueva)

Jesús, ayúdanos a difundir tu buena nueva. Tú eres nuestro. Señor y Salvador. Amén.

NUESTRA VIDA CATOLICA

Todos los santos

El bautismo nos llama a ser santos. Debemos decidir en como ser santos y como podemos servir a Dios. Podemos mirar las vidas de los santos. Hay santos de todos los países, culturas y razas. Ellos vieron vidas llenas de amor a Dios. El primero de noviembre, día de Todos los Santos, la Iglesia recuerda a todos los que están celebrando la vida y el amor de Dios en el cielo.

Visita Sadlier en

www.CREEMOSweb.com

Conexión con el Catecismo
Para referencia vea los párrafos 551, 763, 769 y 2030.

We Respond and Share the Faith

Sharing What I Learned

Look at the picture. Use it to tell your family what you learned in this chapter.

Remember

- The apostles led the Church.
- The disciples of Jesus share the good news.
- The followers of Jesus stood up for their faith.
- Many of our ancestors in faith are examples of holiness.

Family Prayer

Let us pray.
Jesus, we thank you for bringing us good news. My good news today is

_____.

(Each one adds their good news.)

Jesus, help us to spread your good news. You are the Lord and Savior. Amen.

OUR CATHOLIC LIFE

All Saints

By our Baptism we have all been called to become holy, or to become saints. We must decide on how we can be holy, how we can love, and how we can serve God. We can look at the lives of the saints. The saints come from every country, race, and culture. Their lives were filled with love for God. On November 1, All Saints' Day, the Church remembers all of the saints who are already celebrating God's life and love in heaven.

Connect to the Catechism
For adult background and reflection, see paragraphs 551, 763, 769, and 2030.

Visit Sadlier's

www.CREEMOSweb.com

Adviento | Navidad | Tiempo Ordinario | Cuaresma | Tres Días | Tiempo de Pascua | Tiempo Ordinario

HOSANNA

El año litúrgico celebra a Jesús.

NOS CONGREGAMOS

¿Qué días de fiesta celebras con tu familia durante el año? ¿Qué días de fiesta celebras? Nombra algunos de tu días preferidos para celebrar.

CREEMOS

Durante el año nos reunimos para alabar y dar gracias a Dios por todos sus regalos. Recordamos y celebramos las cosas que hizo Jesús por nosotros. Los tiempos del año litúrgico nos ayudan a crecer como seguidores de Jesús. Los tiempos nos ayudan a crecer en la fe.

"¡Hosanna!
Bendito el que viene
en el nombre del Señor!"

Marcos 11:9

The Church Year

Advent | Christmas | Ordinary Time | Lent | Three Days | Easter | Ordinary Time

The Church year celebrates Jesus.

WE GATHER

What holidays do you and your family celebrate during the year? What holy days do you celebrate? Name some of your favorite days of celebration.

WE BELIEVE

All during the year, we gather to praise and thank God for his many gifts. We remember and celebrate the amazing things Jesus did for us. The seasons of the Church year help us to grow as followers of Jesus. The seasons help us to grow in faith.

"Hosanna!
    Blessed is he who comes in
        the name of the Lord!"

Mark 11:9

Adviento · Navidad · Tiempo Ordinario · Cuaresma · Tres Días · Tiempo de Pascua · Tiempo Ordinario

Adviento El tiempo de Adviento nos prepara para la venida del Hijo de Dios. Velamos y esperamos. Nos preparamos para celebrar el nacimiento de Jesús en Navidad.

Navidad Es tiempo para celebrar que Dios está con nosotros. Nos regocijamos de que el Hijo de Dios se hizo uno de nosotros para salvarnos.

Cuaresma Es tiempo de preparación para la celebración más importante de la Iglesia. Durante los cuarenta días de Cuaresma, pedimos misericordia a Dios y recordamos la vida y muerte de Jesús.

Los Tres Días Celebran el paso de Jesús de la muerte a una nueva vida. Durante los tres días se celebra la fiesta más importante de la Iglesia.

Tiempo de Pascua Jesús ha resucitado de la muerte. Durante cincuenta días celebramos la resurrección de Jesús. Jesús está siempre con nosotros.

Tiempo Ordinario Es el tiempo en que celebramos toda la vida de Jesucristo y sus enseñanzas. Es el tiempo más largo del año. Sucede dos veces. Entre Navidad y Cuaresma y entre Pascua y Adviento.

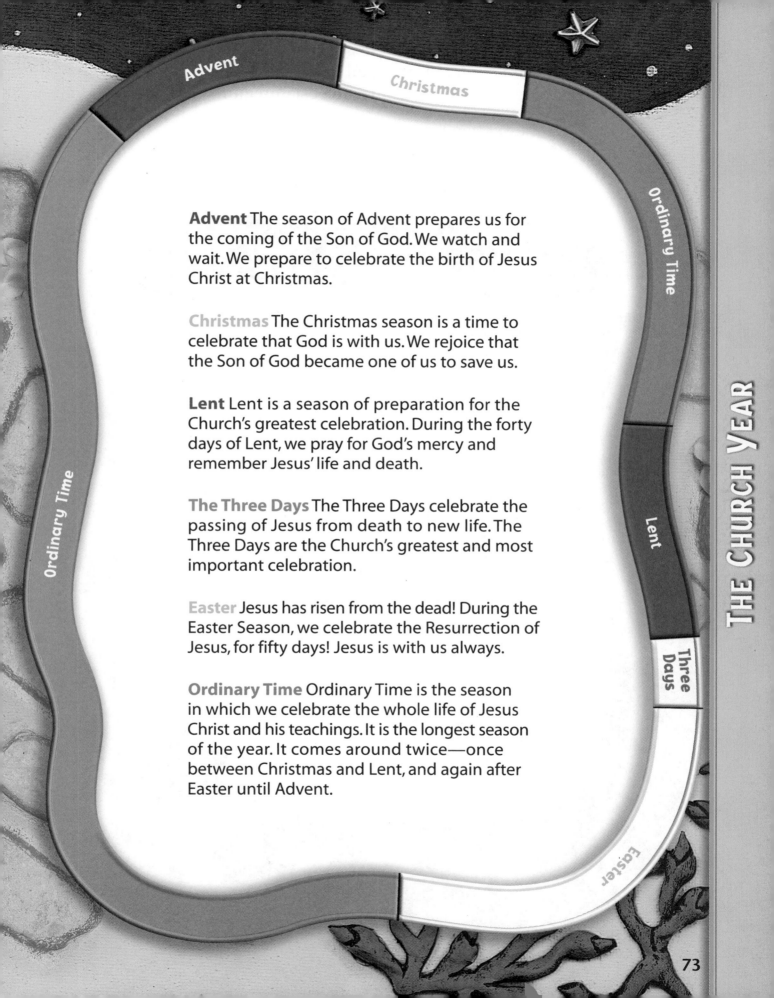

Advent The season of Advent prepares us for the coming of the Son of God. We watch and wait. We prepare to celebrate the birth of Jesus Christ at Christmas.

Christmas The Christmas season is a time to celebrate that God is with us. We rejoice that the Son of God became one of us to save us.

Lent Lent is a season of preparation for the Church's greatest celebration. During the forty days of Lent, we pray for God's mercy and remember Jesus' life and death.

The Three Days The Three Days celebrate the passing of Jesus from death to new life. The Three Days are the Church's greatest and most important celebration.

Easter Jesus has risen from the dead! During the Easter Season, we celebrate the Resurrection of Jesus, for fifty days! Jesus is with us always.

Ordinary Time Ordinary Time is the season in which we celebrate the whole life of Jesus Christ and his teachings. It is the longest season of the year. It comes around twice—once between Christmas and Lent, and again after Easter until Advent.

Advent

Christmas

Ordinary Time

Ordinary Time

Lent

Three Days

Easter

THE CHURCH YEAR

El Año Litúrgico

Mira el año litúrgico en la página 72. Después escribe tu respuesta a esta pregunta.

¿Cuál es el tiempo más corto del año litúrgico y cuál el más largo?

✝ Respondemos en oración

Líder: Bendito sea el nombre del Señor.

Todos: Ahora y siempre.

Lector: Lectura del Evangelio de Mateo:

Jesús dijo: "Yo estaré con ustedes todos los días, hasta el fin del mundo". (Mateo 28:20)

Palabra del Señor.

Todos: Gloria a ti, Señor Jesús.

Líder: Gloria al Padre, y al Hijo, y al Espíritu Santo.

Todos: Ahora y siempre. Amén.

♫ Cristo está conmigo

Cristo está conmigo
junto a mi va el Señor,
me acompaña siempre
en mi vida hasta el fin.

WE RESPOND

Look at the Church year time line on page 73. Then write the answers to these questions.

What is the shortest season of the year?
What is the longest season of the year?

✝ We Respond in Prayer

Leader: Blessed be the name of the Lord.

All: Now and for ever.

Reader: A reading from the holy Gospel according to Matthew

Jesus said to his disciples, "Behold, I am with you always, until the end of the age."
(Matthew 28:20)

The Gospel of the Lord.

All: Praise to you, Lord Jesus Christ.

Leader: Glory to the Father, and to the Son, and to the Holy Spirit.

All: Now and for ever.

♫ Jesus Is with Us

Jesus is with us today,
Beside us to guide us today.
Jesus teaches us,
Jesus heals us, for we are his Church;
we are his chosen; we are the children of God.

Respondemos y compartimos la fe

Compartiendo lo aprendido

Mira la ilustración. Usala para decir a tu familia lo que aprendiste en este capítulo.

HOSANNA

Alrededor de la mesa

Comparte con tu familia los colores litúrgicos de cada tiempo. Busca como incluir el color del tiempo en la decoración de tu casa. Si quieres puedes hacer cadenas de papel, sostenedores de servilletas o mantelitos. Escribe el nombre del tiempo que estás celebrando en tus decoraciones.

Una bendición para la familia

Señor, sé nuestro refugio, cuando estemos en nuestro hogar, nuestro compañero cuando estemos lejos y nuestro anfitrión cuando regresemos. Por último recíbenos en el lugar que has preparado en la casa de tu Padre, donde viviremos por siempre. Amén.

Visita Sadlier en

www.CREEMOSweb.com

Conexión con el Catecismo
Para referencia vea el párrafo 1168.

We Respond and Share the Faith

Sharing What I Learned

Look at the picture. Use it to tell your family what you learned in this chapter.

Around the Table

Share with your family the liturgical colors for each season. Plan a way to include the color of the season in your household decorating. You might want to make paper chains, napkin-holders from colored construction paper, or placemats. On your decorations, write the name of the season you are celebrating.

A Family Blessing.

Be our shelter, Lord, when we are at home, our companion when we are away, and our welcome guest when we return. And at last receive us into the dwelling place you have prepared for us in your Father's house, where you live for ever and ever. Amen.

Connect to the Catechism
For adult background and reflection, see paragraph 1168.

Visit Sadlier's

www.CREEMOSweb.com

Adviento   Navidad   Tiempo Ordinario   Cuaresma   Tres Días   Tiempo de Pascua   Tiempo Ordinario

Durante el tiempo Ordinario celebramos la vida y las enseñanzas de Jesucristo.

NOS CONGREGAMOS

¿Recuerdas los nombres de los tiempos del año litúrgico?

¿Cuál está celebrando la Iglesia ahora?

CREEMOS

El Tiempo Ordinario es un tiempo especial en la Iglesia. Durante este tiempo, celebramos todo sobre Jesús. Escuchamos sobre sus enseñanzas, su amor y su perdón. También aprendemos a seguirlo.

"Señor, es bueno darte gracias".

Salmo responsorial, octavo domingo del Tiempo Ordinario

Ordinary Time

In Ordinary Time, we celebrate the life and teachings of Jesus Christ.

WE GATHER

Can you remember the names of all the seasons in the liturgical year?

Which season is the Church in right now?

WE BELIEVE

Ordinary Time is a special time in the Church. During this season, we celebrate everything about Jesus! We hear about his teaching, his love, and his forgiveness. We also learn to be his followers.

"Lord, it is good
to give thanks to you."

Responsorial Psalm, Eighth Sunday
in Ordinary Time

El Tiempo Ordinario es el más largo del año litúrgico. Tiene treinta y tres o treinta y cuatro semanas. Es llamado Tiempo Ordinario porque las semanas están en orden, numeradas. Por ejemplo: el primer domingo del Tiempo Ordinario es seguido por el segundo domingo del Tiempo Ordinario y así sucesivamente.

Durante el Tiempo Ordinario el sacerdote viste de verde. El verde es señal de nueva vida y esperanza.

Durante el Tiempo Ordinario aprendemos sobre Jesús y sus enseñanzas escuchando las lecturas de la Escritura. Algunas veces escuchamos eventos de la vida de Jesús. Algunas veces escuchamos historias que él contó.

Juntos hagan una lista de los eventos en la vida de Jesús y una lista de historias contadas por él.

cuando Jesus se perdio cuando se comirtio en una Paloma.

Después hablen en grupos sobre los eventos o las historias que más les gustan. Escenifiquen uno a los demás.

Durante el Tiempo Ordinario, aprendemos más sobre Jesús y sus enseñanzas para parecernos más a él. Jesús se ofrece a nosotros en los sacramentos. Rezamos, amamos a los demás y trabajamos por la justicia y la paz igual que Jesús.

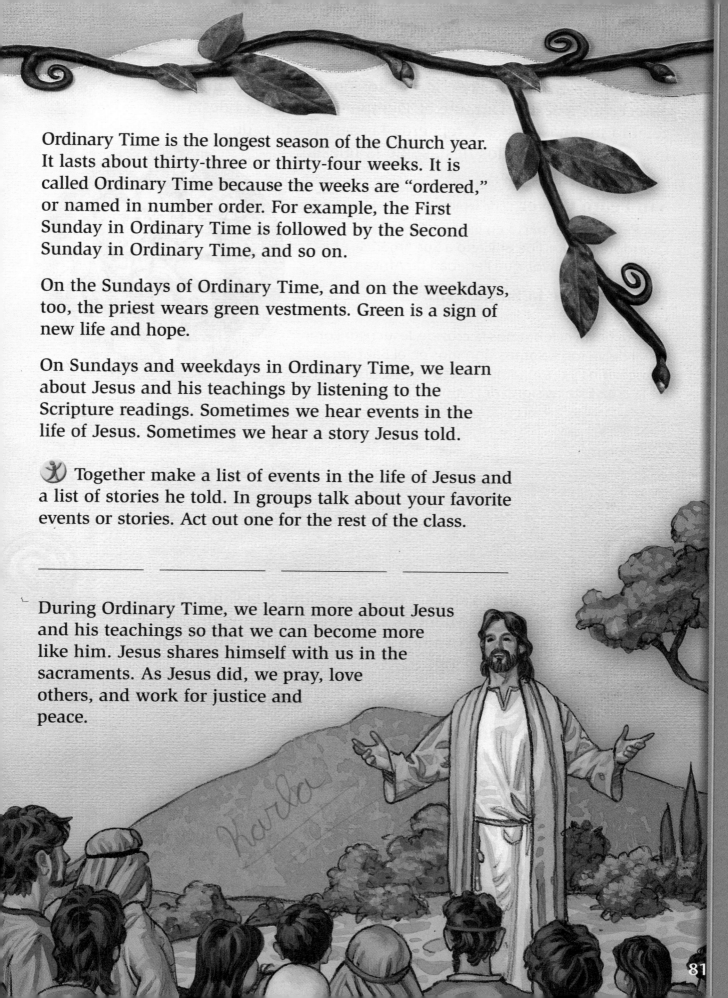

Ordinary Time is the longest season of the Church year. It lasts about thirty-three or thirty-four weeks. It is called Ordinary Time because the weeks are "ordered," or named in number order. For example, the First Sunday in Ordinary Time is followed by the Second Sunday in Ordinary Time, and so on.

On the Sundays of Ordinary Time, and on the weekdays, too, the priest wears green vestments. Green is a sign of new life and hope.

On Sundays and weekdays in Ordinary Time, we learn about Jesus and his teachings by listening to the Scripture readings. Sometimes we hear events in the life of Jesus. Sometimes we hear a story Jesus told.

Together make a list of events in the life of Jesus and a list of stories he told. In groups talk about your favorite events or stories. Act out one for the rest of the class.

_____ _____ _____ _____

During Ordinary Time, we learn more about Jesus and his teachings so that we can become more like him. Jesus shares himself with us in the sacraments. As Jesus did, we pray, love others, and work for justice and peace.

RESPONDEMOS

Los eventos en las vidas de los santos nos muestran como parecernos a Jesús. Durante el Tiempo Ordinario la Iglesia celebra muchas fiestas y recuerda las santas vidas de los santos. He aquí dos fiestas que la Iglesia celebra en septiembre:

San Pedro Claver (9 de septiembre)

San Pedro Claver nació en España. Se ordenó sacerdote jesuita. Fue enviado a Sur América. Ahí ayudó a los esclavos que llegaban de Africa.

Exaltación de la Santa Cruz
(14 de septiembre)

En esta fiesta celebramos la cruz de Jesucristo como señal de victoria. Somos signados en el Bautismo. Empezamos y terminamos nuestras oraciones con la señal de la cruz. Esta es signo del amor de Jesús.

✚ Respondemos en oración

Líder: Vamos a rezar en honor a la santa cruz de Jesús. Mientras cantamos un himno de gozo y victoria vamos a ir en procesión a nuestro lugar de oración.

🎵 Cantaré alabanzas al Señor

Cantaré alabanzas al Señor,
cantaré, cantaré.

Toda la vida yo cantaré, cantaré.
Cantaré alabanzas al Señor.

Lector: "La gracia del Señor Jesucristo, el amor de Dios y la presencia constante del Espíritu Santo estén con todos ustedes".
(2 Corintios 13:14)

Todos: Amén.

WE RESPOND

The events in the lives the saints show us how to become more like Jesus, too. During Ordinary Time, the Church celebrates many feasts and remembers the holy lives of the saints. Here are two feasts the Church celebrates in September.

The Feast of Saint Peter Claver (September 9)

Saint Peter Claver was born in Spain. He became a priest of the Society of Jesus. He was sent to South America. There he helped the slaves who were arriving on ships from Africa each day.

The Feast of the Exaltation of the Holy Cross (September 14)

On this feast, we celebrate the cross of Jesus Christ as a sign of victory. We are signed with the cross in Baptism. We begin and end our prayers with the Sign of the Cross. It is a sign of Jesus' love for us.

✝ We Respond in Prayer

Leader: Let us pray now to honor the Holy Cross of Jesus. As we sing a song of joy and victory, let us process to our place of prayer.

🎵 **We Sing Your Glory**

We sing your glory, sing your praise.
We sing your glory, sing your praise.
We sing your glory, we sing your glory.
Glory, glory and praise!

Leader: "The grace of the Lord Jesus Christ and the love of God and the fellowship of the holy Spirit be with all of you." (2 Corinthians 13:13)

All: Amen.

Glory

Rejoice

Respondemos y compartimos la fe

Compartiendo lo aprendido

Mira la ilustración. Usála para contar a tu familia lo aprendido en este capítulo.

Alrededor de la mesa

¿Cómo trabajará tu familia para seguir a Jesús durante el Tiempo Ordinario? Pon tus ideas en la puerta del refrigerador.

He aquí algunas ideas:

- Rezar por la paz mundial.
- Compartir una comida con alguien que esté solo.
- Planificar un paseo a una ermita.

Gloria

Oración en familia durante el Tiempo Ordinario

Jesús nos enseñó a rezar a su Padre. Rezamos en el Padrenuestro "venga a nosotros tu reino". Juntos recen un Padrenuestro. Mientras lo rezan, pidan a Jesús les ayude a mostrar a otros que el reino de los cielos ya empezó.

Conexión con el Catecismo
Para reflexión vea el párrafo 1163.

We Respond and Share the Faith

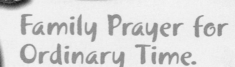

Sharing What I Learned

Look at the picture. Use it to tell your family what you have learned in this chapter.

Around the Table

How will your family work together to follow Jesus in Ordinary Time? Post your ideas on the refrigerator.

Here are some ideas:

- Pray for world peace.
- Share a meal and invite someone you know who may be lonely.
- Plan a trip to a beautiful shrine.

Family Prayer for Ordinary Time.

Jesus taught us to pray to his Father. We pray in the Our Father, "thy kingdom come." Pray the Our Father together. As you pray it, ask Jesus to help you show others that his Kingdom has begun.

Connect to the Catechism
For adult background and reflection, see paragraph 1163.

Visit Sadlier's

www.CREEMOSweb.com

NOS CONGREGAMOS

✝ **Líder:** Jesús habló a los que le seguían. También nos habla a nosotros. Vamos a escuchar sus palabras.

Lector: "Yo soy la luz del mundo". (Juan 8:12)

¿Me seguirás?

Todos: Sí, Jesús, te seguiremos.

Piensa en equipos y clubes de la escuela a los que te puedes unir. ¿Quiénes son los líderes de esos grupos? ¿Qué hacen?

CREEMOS

Jesús escogió a los apóstoles para dirigir la Iglesia.

Uno de los apóstoles de Jesús se llamaba Simón. Jesús le cambió el nombre a Simón por el de Pedro, que quiere decir "roca". Jesús escogió a Pedro para ser el líder de los apóstoles. El le dijo a Pedro: "Tú eres Pedro, y sobre esta piedra voy a construir mi iglesia". (Mateo 16:18)

Los apóstoles eran Pedro, Andrés, Santiago y Juan (hijos de Zebedeo), Felipe, Bartolomé, Tomás, Mateo, Santiago (el hijo de Alfeo), Tadeo, Simón, y Judas Iscariote. Más tarde Matías tomó el lugar de Judas.

The Church Has Four Marks

WE GATHER

✝ **Leader:** Jesus spoke to the crowds that followed him. He speaks to each of us, too. Let us listen to his words.

Reader: "I am the light of the world." (John 8:12)

Will you follow me?

All: Yes, Jesus, we will follow you.

☀ Think about the school teams or clubs that you can join. Who are the leaders of these groups? What do they do?

WE BELIEVE

Jesus chose the apostles to lead the Church.

One of Jesus' apostles was named Simon. Jesus changed Simon's name to Peter, which means "rock." Jesus chose Peter to be the leader of the apostles. He told Peter, "You are Peter, and upon this rock I will build my church." (Matthew 16:18)

The apostles are Peter, Andrew, James and John (sons of Zebedee), Philip, Bartholomew, Thomas, Matthew, James (the son of Alphaeus), Thaddeus, Simon, and Judas Iscariot. Later Matthias took the place of Judas.

Después que Jesús ascendió al cielo, los apóstoles contaron a la gente todo lo que Jesús hizo y dijo. Ellos viajaron de lugar en lugar enseñando lo que Jesús les había enseñado.

En cada sitio que los apóstoles se reunían, bautizaban. La Iglesia creció y los primeros miembros vieron a Pedro y a los apóstoles como sus líderes.

¿Cómo contarás a la gente lo que sabes de Jesús?

El papa y los obispos son los sucesores de los apóstoles.

Igual que hizo Jesús, los apóstoles escogieron líderes para que los sucedieran. *Sucesor* es quien sigue en el lugar de otro, o toma su lugar. Estos nuevos líderes continuarían el trabajo de los apóstoles.

Los apóstoles les dieron a esos líderes la autoridad que Jesús les había dado a ellos. Fortalecidos por el Espíritu Santo, esos líderes sucedieron a los apóstoles.

Con el paso del tiempo a cada uno de esos líderes se les dio el título de obispo. **Obispos** son los sucesores de los apóstoles. Los obispos continúan dirigiendo la Iglesia. Ellos dirigen áreas locales dentro de la Iglesia llamadas **diócesis**.

El **papa** es el obispo de la diócesis de Roma en Italia. El continúa el liderazgo de Pedro. Junto a los demás obispos, él dirige y guía toda la Iglesia Católica.

Habla de lo que conoces sobre tu obispo, tu diócesis y el papa.

After Jesus' Ascension the apostles told the people all that Jesus had said and done. They traveled from place to place teaching what Jesus had taught them.

In every location the apostles gathered the baptized into communities. The Church grew, and the first members of the Church looked to Peter and the apostles as their leaders.

 What will you tell people you know about Jesus?

The pope and bishops are the successors of the apostles.

Like Jesus, the apostles chose leaders to succeed them. A *successor* is one who succeeds, or takes the place of, another. These new leaders would take the place of the apostles and continue their work.

The apostles gave these leaders the same authority that Jesus had given to them. Strengthened by the Holy Spirit, these leaders became the successors of the apostles.

As time passed each of these leaders was given the title of bishop. **Bishops** are the successors of the apostles. The bishops continue to lead the Church. They lead local areas of the Church called **dioceses**.

The **pope** is the bishop of the diocese of Rome in Italy. He continues the leadership of Peter. Together with all the bishops, he leads and guides the whole Catholic Church.

 Talk about what you know about your bishop, your diocese, and the pope.

La Iglesia es una y santa.

La Iglesia es una, santa, católica y apostólica. Estas son las **características de la Iglesia**.

La Iglesia es *una* comunidad unida por Dios. Por medio de la Iglesia Dios nos fortalece para vivir y adorar juntos.

Todos los miembros de la Iglesia están unidos por el Bautismo. Juntos celebramos los sacramentos. Compartimos unos con otros y servimos juntos.

La Iglesia es *santa*. Dios es todo bondad y santidad. Dios comparte su santidad con la Iglesia. Por medio del Bautismo todos los miembros de la Iglesia reciben y comparten la vida de Dios. Compartir la vida de Dios nos hace santos.

Como miembros de la Iglesia crecemos en santidad cuando celebramos los sacramentos. También crecemos en santidad cuando amamos a Dios y a los demás como lo hizo Jesús.

¿De qué forma la Iglesia es una comunidad?

Vocabulario

obispos (pp 316)

diócesis (pp 315)

papa (pp 316)

características de la Iglesia (pp 315)

Como católicos...

El papa vive en la ciudad del Vaticano, en Roma, Italia. El es la cabeza de toda la Iglesia Católica. De alguna manera toda la Iglesia es su parroquia. El visita diferentes lugares en el mundo para enseñar la buena nueva de Jesucristo y para hablar de paz. El anima a todo el mundo a tratarse con respeto. También pide ayuda para los necesitados. Busque mas información sobre el papa y La Ciudad del Vaticano en www.vatican.net

The Church is one and holy.

The Church is one, holy, catholic, and apostolic. We call these characteristics the **marks of the Church**.

The Church is *one*, a community called together by God. Through the Church, God strengthens us to live and worship together.

All members of the Church are united by Baptism. We gather to celebrate the sacraments. We share with one another and serve together.

The Church is *holy*. God is all good and holy. God shares his holiness with the Church. Through Baptism all members of the Church receive a share in God's life. This share in God's life makes us holy.

As members of the Church we grow in holiness when we celebrate the sacraments. We also grow in holiness when we love God and others as Jesus did.

What is one way the Church is a community?

As Catholics...

The Pope lives in Vatican City, in Rome, Italy. He is the leader of the whole Catholic Church. So in a way the whole world is his parish. He goes to places around the world to teach the good news of Jesus Christ and to seek peace. He encourages people to treat one another with respect. He also asks for help for those who are in need.

Find out more about the pope and Vatican City. Check the Vatican Web site at www.vatican.net.

Key Words

bishops (p. 318)

dioceses (p. 318)

pope (p. 320)

marks of the Church (p. 319)

La Iglesia es Católica y apostólica.

La Iglesia es *católica*. La palabra católica significa "universal". La Iglesia está abierta a todo el mundo, es universal.

Jesús envió a sus apóstoles a ir por todo el mundo. Ellos predicaron el evangelio a todos y la Iglesia siguió creciendo. Hoy la Iglesia sigue invitando y dando la bienvenida a todos para que se hagan miembros. Hay católicos en todos los continentes y en todos los países.

La Iglesia es apostólica. La palabra *apostólica* quiere decir que viene de la palabra *apóstol*. Jesús escogió a los apóstoles para ser los primeros líderes de la Iglesia. Su misión fue enseñar la buena nueva y bautizar creyentes. Por el Bautismo todos los miembros de la Iglesia comparten el trabajo de predicar la buena nueva de Cristo.

Los obispos continúan la misión de los apóstoles de tres formas importantes:

- *Enseñan.* Ellos son los maestros oficiales de la Iglesia. Se aseguran de que todos los miembros de la Iglesia sepan y crean las enseñanzas de Jesús.

- *Dirigen.* Los obispos son los principales líderes de la Iglesia.

- *Santifican.* Ellos trabajan para santificar el pueblo de Dios. Llevan a cabo esta misión con sus oraciones, prédicas y celebrando los sacramentos.

RESPONDEMOS

 Haz un dibujo que muestre una de las cuatro características de la Iglesia.

The Church is catholic and apostolic.

The Church is *catholic*. The word catholic means "universal." The Church is open to all people. It is universal.

Jesus sent his apostles out to every part of the world. They spread the gospel to everyone, and the Church continued to grow. Even today people everywhere are invited and welcomed to become members of the Church. There are Catholics on every continent and in every country.

The Church is *apostolic*. The word *apostolic* comes from the word *apostle*. Jesus chose the apostles to be the first leaders of the Church. Their mission was to teach the good news and to baptize believers. By Baptism all members of the Church share in the work of spreading the good news of Christ.

The bishops continue the mission of the apostles in three very important ways.

- They *teach*. The bishops are the official teachers of the Church. They make sure that the members of the Church know and believe the teachings of Jesus.

- They *lead*. The bishops are the main leaders of the Church.

- They *sanctify*. The bishops work to make the people of God holy. They do this through prayer, preaching, and the celebration of the sacraments.

WE RESPOND

Draw a picture to show one of the four marks of the Church.

93

Aparea las palabras o frases en la columna A con la descripción correcta en la columna B.

A	B
1. características de la Iglesia	_____ sucesores de los apóstoles
2. papa	_____ doce discípulos escogidos por Jesús para compartir su misión
3. obispos	_____ cuatro características que describen la Iglesia
4. apóstoles	_____ continúa el liderazgo de Pedro

Completa la siguiente oración.

5. La Iglesia es una comunidad _____

_____

_____

Reflexiona y ora

Describe como la Iglesia creció durante el tiempo de los apóstoles.

_____

Jesús, creo en ti y en tu amor. Ayúdame a vivir como un miembro fiel de la Iglesia. Especialmente ayúdame a _____

_____

Review

Match the words or phrases in column A to the correct description in column B.

A	B
1. marks of the Church	_____ successors of the apostles
2. pope	_____ twelve disciples chosen by Jesus to share in his mission
3. bishops	_____ four characteristics that describe the Church
4. apostles	_____ continues the leadership of Peter

Complete this sentence.

5. The Church is one community _____

_____

_____

Reflect & Pray

Describe how the Church grew during the time of the apostles.

_____

Jesus, I believe in you and love you. Help me to live as a loving

member of the Church. Help me especially to _____

_____

Respondemos y compartimos la fe

Compartiendo lo aprendido

Mira la ilustración. Usala para decir a tu familia lo que aprendiste en este capítulo.

Recuerda

- Jesús escogió a los apóstoles para dirigir la Iglesia.
- El papa y los obispos son los sucesores de los apóstoles.
- La Iglesia es una y santa.
- La Iglesia es católica y apostólica.

Características de la familia

¿Qué hace que tu familia sea especial? Abajo escribe las características de tu familia.

La familia _____

_____

_____

NUESTRA VIDA CATÓLICA

Beato Juan XXIII

Angelo Roncalli, Juan XXIII, fue electo papa a los 76 años. Todo el mundo estuvo sorprendido con su energía y espíritu. El llamó a los obispos a una reunión en Roma. Esta reunión se conoce como el *Concilio Vaticano Segundo*. El papa y los obispos trabajaron juntos para fortalecer la Iglesia. Nos llamaron a relacionarnos con otras religiones y especialmente con los pobres. El Concilio nos llama a ser pueblo de Dios.

Visita Sadlier en

www.CREEMOSweb.com

Conexión con el Catecismo
Para referencia vea los párrafos 765, 880, 811, 823, 830 y 857.

We Respond and Share the Faith

Sharing What I Learned

Look at the picture. Use it to tell your family what you learned in this chapter.

Remember

- Jesus chose the apostles to lead the Church.
- The pope and bishops are the successors of the apostles.
- The Church is one and holy.
- The Church is catholic and apostolic.

Marks of Our Family

What makes your family special? Write your family characteristics below.

The _____ Family

_____

_____

OUR CATHOLIC LIFE

Blessed Pope John XXIII

Angelo Roncalli became Pope John XXIII at 76 years of age. Everyone was surprised with his energy and great spirit. He called all the bishops to gather together in Rome. This meeting was known as the *Second Vatican Council*. The pope and bishops worked together to strengthen the Church. They called us to reach out to other religions and especially to the poor. The council called us to be God's people.

Connect to the Catechism
For adult background and reflection, see paragraphs 765, 880, 811, 823, 830, and 857.

Visit Sadlier's

www.CREEMOSweb.com

NOS CONGREGAMOS

✞ **Líder:** Dios, somos tu pueblo.

Todos: Somos tu Iglesia. Mantennos fieles a ti.

 Somos todos el pueblo de Dios

Todos unidos en un solo amor,
somos todos el pueblo de Dios.
Y alabamos tu nombre, Señor.
Somos todos el pueblo de Dios.

Nombra algunas cosas buenas por pertenecer a tu familia o tu grupo.

CREEMOS

La Iglesia es el cuerpo de Cristo y el pueblo de Dios.

 1 Corintios 12:14–21

San Pablo explicó a la gente que la Iglesia es el *cuerpo de Cristo* en la tierra. Todas las partes en el cuerpo de una persona trabajan juntas. Las orejas no dicen, "Como no soy ojo no soy del cuerpo". Los ojos no dicen a las manos: "No te necesito". (1 Corintios 12: 16, 21). Todas las partes del cuerpo se necesitan.

The Church Teaches Us

WE GATHER

✝ **Leader:** God, we are your people.

All: We are your Church. Keep us faithful to you.

🎵 **We Are All the People of God/
Somos todos el pueblo de Dios**

We are united in God who is love,
we are all the people of God.
Lord, we sing praise to your holy name.
We are all the people of God.

☀ Name some good things about being a
member of your family or your class.

WE BELIEVE

**The Church is the Body of Christ
and the people of God.**

📖 1 Corinthians 12:14–21

Saint Paul explained to the people that
the Church is the *Body of Christ* on
earth. All the parts in a person's body
work together. The ear does not say,
"Because I am not an eye I do not
belong to the body." The eye does not
say to the hand, "I do not need you."
(1 Corinthians 12:16, 21) Each part of the
body needs all the other parts.

Igual que el cuerpo humano, la Iglesia tiene muchas partes, o miembros. Una parte no puede decir a la otra: "no te necesito" o "No eres como yo, así que estás de más". Todos en la Iglesia tienen una parte importante en el cuerpo de Cristo. Estamos unidos por nuestro amor y fe en Jesucristo.

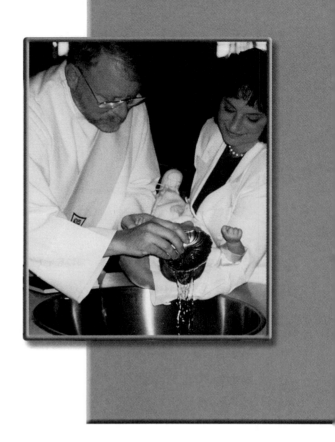

Dios nos escogió como sus hijos, hermanos en Jesús. Por nuestro Bautismo, somos acogidos en la Iglesia. En el Nuevo Testamento la Iglesia es descrita como "pueblo de Dios". (1 Pedro 2:10). Como *pueblo de Dios*, tratamos de amar a Dios y a los demás de la mejor manera que podamos. Tratamos de compartir la buena nueva de Jesús con todo el mundo.

👤 Mira las fotos. ¿Cómo están las personas mostrando que son pueblo de Dios?

Profesamos nuestra fe en el Credo de los Apóstoles.

Según la Iglesia creció, las creencias en Jesús y sus enseñanzas fueron escritas en afirmaciones llamadas *credos*. Unos de los primeros credos es el Credo de los apóstoles. Este credo está basado en las enseñanzas de Jesucristo y la fe de los apóstoles.

Cada vez que rezamos el Credo de los Apóstoles, profesamos nuestra fe. *Profesar* quiere decir "afirmar lo que creemos".

👤 Junto con un compañero hablen sobre formas en que podemos mostrar nuestras creencias católicas.

Like a human body, the Church has many parts, or members. One part cannot say to another, "I do not need you!" or "You are not like me, so you do not belong." Everyone in the Church is an important part of the Body of Christ. We are united through our love for and belief in Jesus Christ.

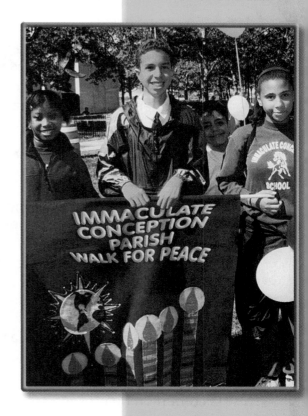

God has chosen us to be his children, brothers and sisters of Jesus. Through our Baptism, we are brought into the Church. In the New Testament the Church is described as "God's people." (1 Peter 2:10) As the *people of God*, we try our best to love God and love one another. We try to share the good news of Jesus with everyone in the world.

Look at the pictures. How are these people showing that they are the people of God?

We profess our faith through the Apostles' Creed.

As the Church grew, the beliefs about Jesus and his teachings were written down in statements called *creeds*. One of the first creeds is called the **Apostles' Creed**. It is based on the teachings of Jesus Christ and the faith of the apostles.

Each time we pray the Apostles' Creed, we profess our faith. To *profess* means "to state what we believe."

With a partner talk about the ways we show our Catholic beliefs.

Credo de los Apóstoles

Creo en Dios, Padre todopoderoso,
Creador del cielo y de la tierra.

Creo en Jesucristo, su único Hijo, nuestro Señor,
que fue concebido por obra y gracia del
Espíritu Santo,
nació de santa María Virgen,
padeció bajo el poder de Poncio Pilato,
fue crucificado, muerto y sepultado,
descendió a los infiernos,
al tercer día recitó de entre los muertos,
subió a los cielos
y está sentado a la derecha de Dios, Padre
todopoderoso.
Desde allí ha de venir a juzgar a vivos y muertos.

Creo en el Espíritu Santo,
la santa Iglesia católica,
la comunión de los santos,
el perdón de los pecados,
la resurrección de la carne
y la vida eterna. Amén.

Afirmamos nuestra creencia en la Santísima Trinidad: Dios el Padre, Dios el Hijo y Dios el Espíritu Santo.

Afirmamos nuestra creencia en que Dios Hijo, la segunda Persona de la Santísima Trinidad, se hizo uno de nosotros y murió para salvarnos.

Afirmamos nuestra creencia en una Iglesia santa, católica dada por Jesús. Cuando rezamos el Credo de los Apóstoles, juntos como Iglesia, decimos que estamos unidos en fe y amor.

El Espíritu Santo guía a la Iglesia.

Jesús sabía que a los apóstoles les sería difícil recordar todo lo que él les había enseñado. Por eso les prometió que "El Espíritu Santo, el defensor que el Padre va a enviar en mi nombre, les enseñará todas las cosas y les recordará todo lo que les he dicho" (Juan 14:26) Con la ayuda del Espíritu Santo, los apóstoles pudieron hablar la verdad sobre Jesús.

El Espíritu Santo continúa guiando a la Iglesia. También guía al papa y a los obispos para enseñar la verdad sobre Jesús. Esto lo hacen con palabras, escritos y obras. El papa y los obispos son los maestros oficiales de toda la Iglesia.

Algunas veces el papa se reúne con los obispos del mundo. Ellos toman decisiones importantes sobre la fe y la vida de la Iglesia. Con frecuencia el papa escribe cartas a la Iglesia y a todo el mundo. Esas cartas son acerca de las verdades católicas y como vivir como católicos en el mundo hoy.

 ¿Qué has aprendido sobre Jesús y la Iglesia?

The Apostles' Creed

I believe in God, the Father almighty,
   creator of heaven and earth.

I believe in Jesus Christ, his only
     Son, our Lord.
  He was conceived by the power
     of the Holy Spirit
     and born of the Virgin Mary.
  He suffered under Pontius Pilate,
     was crucified, died, and was buried.
  He descended to the dead.
  On the third day he rose again.
  He ascended into heaven,
     and is seated at the right hand
     of the Father.
  He will come again to judge
     the living and the dead.

I believe in the Holy Spirit,
  the holy catholic Church,
  the communion of saints,
  the forgiveness of sins,
  the resurrection of the body,
  and the life everlasting. Amen.

> We state our belief in the Blessed Trinity: God the Father, God the Son, and God the Holy Spirit.

> We state our belief that God the Son, the second Person of the Blessed Trinity, became one of us and died to save us.

> We state our belief in the holy catholic Church that Jesus gave us. When we pray the Apostles' Creed we say together as the Church that we are one in faith and love.

The Holy Spirit guides the Church.

Jesus knew it would be difficult for the apostles to remember everything he had taught them. So he promised the apostles that "the holy Spirit that the Father will send in my name—he will teach you everything and remind you of all that [I] told you." (John 14:26) With the help of the Holy Spirit, the apostles were able to speak the truth about Jesus.

Today the Holy Spirit continues to guide the Church. The Holy Spirit guides the pope and bishops to teach the truth about Jesus. They do this by their words, writings, and actions. The pope and the bishops are the official teachers for the whole Church.

At certain times the pope gathers together all the bishops throughout the world. They make important decisions about the Church's faith and life. Often the pope writes letters to the Church and to the whole world. These letters are about Catholic beliefs and how to live as Catholics in the world today.

 What have you learned about Jesus and the Church?

Credo de los apóstoles (pp 315)

justicia (pp 316)

La Iglesia continúa enseñando el verdadero mensaje de Jesús.

La Iglesia enseña lo que Jesús enseñó:

- Dios ama y cuida de todo el mundo.
- Debemos amar a Dios con todo nuestro corazón.
- Debemos amar a nuestro prójimo como a nosotros mismos.

Algunas de las enseñanzas de la Iglesia son conocidas como *doctrina social de la Iglesia*. Estas enseñanzas nos dicen que todos somos creados a imagen de Dios y que tenemos derechos humanos. Por ejemplo, todos tenemos derecho a vivir, a comer, a tener seguridad y alojamiento. Tenemos el derecho a la educación y a un trato igualitario.

Esos derechos humanos son parte importante de la justicia. **Justicia** es tratar a todo el mundo justamente y con respeto. La justicia que Jesús enseñó nos recuerda que todos somos parte de la familia humana. Lo que ayuda o hiere a una parte de la familia afecta a todos.

Todos tenemos ciertas responsabilidades para con los demás. Por ejemplo, tenemos la responsabilidad de vivir juntos en paz. Tenemos la responsabilidad de compartir las cosas buenas del mundo. Tenemos la responsabilidad de respetar y cuidar uno del otro.

RESPONDEMOS

¿Qué puedes hacer esta semana para tratar justamente a alguien en tu casa? en la escuela? en tu parroquia?

_____

_____

The Church continues to teach the true message of Jesus.

The Church teaches what Jesus taught:

- God loves and cares for everyone.
- We are to love God with our whole heart.
- We are to love our neighbors as ourselves.

Some of the Church's teaching is known as *Catholic social teaching.* This teaching tells us that we are all made in God's image and have certain human rights. For example, we all have the right to life, food, housing, and safety. We have the right to be educated and to be treated equally.

These human rights are an important part of justice. **Justice** is treating everyone fairly and with respect. The justice that Jesus taught reminds us that we are all part of the human family. What helps or hurts one part of the family affects everyone.

We all have certain responsibilities to one another. For example, we have a responsibility to live together in peace. We have a responsibility to share the good things of the world. We have a responsibility to respect and care for one another.

WE RESPOND

What can you do this week to treat everyone fairly at home? in school? in your parish?

_____

_____

Key Words
Apostles' Creed (p. 318)
justice (p. 319)

As Catholics...

Francis of Assisi was the son of a rich merchant. But he felt God calling him to a different way of life. He gave up his wealth and began to live a simple, poor life. He fasted, prayed, helped the poor, and preached to people about following God. Other men joined Francis and shared his life of fasting, poverty, and peace. In 1210, Francis began a religious community now known as the Franciscans.

Also born in Assisi, Clare heard Francis preach. She wanted to live a simple, poor life for Christ like Francis. With the help of Francis, she began a religious order of nuns, the Poor Clares. Both communities continue to serve the needs of God's people.

Saint Francis's feast day is October 4, and Saint Clare's is August 11.

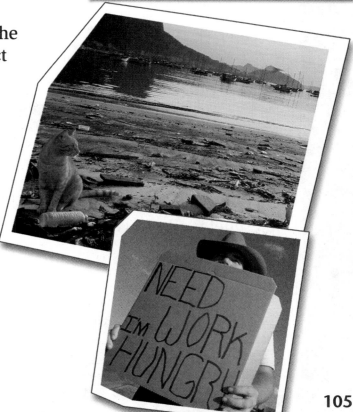

Escribe V si la oración es verdadera y F si es falsa.

1. La Iglesia es el cuerpo de Cristo en la tierra. _____

2. Justicia es un credo. _____

3. El Espíritu Santo ayuda al papa y a los obispos a enseñar la verdad acerca de Jesús y nuestra fe católica. _____

4. Tenemos la responsabilidad de cuidar sólo de los católicos que viven en nuestra diócesis. _____

Completa la siguiente oración.

5. La doctrina social de la Iglesia nos enseña a _____

_____

_____

_____

Reflexiona y ora

¿Cuáles son algunas formas en que puedes actuar con justicia en la escuela? ¿En tu casa?

Jesús envió al Espíritu Santo a guiarnos y ayudarnos a recordar sus enseñanzas.

Espíritu Santo, quédate conmigo y guíame, especialmente cuando

_____

Write T if the statement is true.
Write F if the statement is false.

1. The Church is the Body of Christ on earth. _____

2. Justice is a statement of beliefs. _____

3. The Holy Spirit helps the pope and bishops teach the truth about Jesus and our Catholic faith. _____

4. We have a responsibility to care only about the Catholics in our diocese. _____

Complete this sentence.

5. Catholic social teaching tells us _____

_____

_____

_____

Reflect & Pray

What are some ways that you can act with justice in school? at home?

Jesus sent the Holy Spirit to guide us and to help us to remember his teachings.

Holy Spirit, be with me and guide me, especially when

_____

Respondemos y compartimos la fe

Compartiendo lo aprendido

Mira la ilustración. Usala para decir a tu familia lo que aprendiste en este capítulo.

Recuerda

- La Iglesia es el cuerpo de Cristo y el pueblo de Dios.
- Profesamos nuestra fe en el Credo de los Apóstoles.
- El Espíritu Santo guía a la Iglesia.
- La Iglesia continúa enseñando el verdadero mensaje de Jesús.

Haz que la justicia sea parte de tu vida

¿Cómo pueden mostrarse respeto unos a otros en la familia?

¿Cómo puede tu familia compartir las cosas buenas con los que tienen menos?

NUESTRA VIDA CATOLICA

Caridades católicas en USA

Por justicia es que las caridades católicas en USA ayudan a más de diez millones de necesitados en los Estados Unidos todos los años. Las cocinas populares, ofrecen comida gratis a los necesitados. También ofrecen consejería, cuidado de niños y entrenamientos. Los católicos pueden unirse a ellos ofreciendo su tiempo y donando comida, ropa y dinero.

Visita Sadlier en

www.CREEMOSweb.com

Conexión con el Catecismo
Para referencia vea los párrafos 782, 194, 798 y 771.

We Respond and Share the Faith

Sharing What I Learned

Look at the picture. Use it to tell your family what you learned in this chapter.

Remember

- The Church is the Body of Christ and the people of God.
- We profess our faith through the Apostles' Creed.
- The Holy Spirit guides the Church.
- The Church continues to teach the true message of Jesus.

Make Justice Part of Your Life

How can your family show respect for one another?

How can your family share good things with those who have less than you do?

OUR CATHOLIC LIFE

Catholic Charities USA

Justice is why Catholic Charities USA helps over ten million needy people throughout the United States each year. At food pantries, the group offers free bags of groceries for those in need. They offer counseling, daycare programs, and job training. Catholics can participate by volunteering their time and by donating food, clothing, and money.

 Connect to the Catechism
For adult background and reflection, see paragraphs 782, 194, 798, and 771.

Visit Sadlier's

www.CREEMOSweb.com

La Iglesia reza

NOS CONGREGAMOS

✝ **Líder:** Vamos a quedarnos muy tranquilos. Ponga sus manos sobre sus rodillas con las palmas hacia arriba.

Hablen con Dios en silencio. Pueden decir lo que quieran. Pidan lo que necesiten y que bendiga a sus seres queridos.

Todos: (rezan en silencio)

Líder: Levanten sus manos como señal de que sus oraciones suben a Dios.

Todos: "Sea mi oración como incienso en tu presencia".
(Salmo 141:2a)

 ¿Cómo puedes seguir en contacto con uno de tus seres queridos que está lejos?

CREEMOS

Jesús enseñó a sus seguidores a rezar.

Jesús es el Hijo de Dios. Jesús es divino porque él es Dios. El también es hijo de María. Jesús es humano igual que nosotros en todo, menos en el pecado.

Jesús tuvo que aprender a caminar, a hablar, a leer y a escribir. María y José también enseñaron a Jesús como hablar a Dios en oración. **Orar** es escuchar y hablar con Dios.

Jesús rezaba en la **sinagoga**, el lugar donde los judíos rezan y aprenden sobre Dios. Jesús también alababa en el Templo en Jerusalén. Otras veces se distanciaba sólo para orar. Algunas veces rezaba con su familia y sus discípulos.

The Church Prays

WE GATHER

✝ **Leader:** Be still and quiet. Place your hands on your knees with your palms up.

Talk to God in your heart. Tell him anything you wish. Ask God for what you need, and ask his blessing on those you love.

All: (Pray quietly.)

Leader: Lift up your hands as a sign of your prayer rising to God.

All: "Let my prayer be incense before you."
(Psalm 141:2a)

 When someone you love is far away, how can you stay in touch?

WE BELIEVE
Jesus teaches his followers how to pray.

Jesus is the son of God. Jesus is divine because he is God. He is also Mary's son. Jesus is human like us in every way except he is without sin. Jesus had to learn how to walk, talk, read, and write. Mary and Joseph also taught Jesus how to talk to God in prayer. **Prayer** is listening and talking to God.

Jesus prayed in the **synagogue**, the gathering place where Jewish people pray and learn about God. Jesus also worshiped in the Temple in Jerusalem. Other times he went off by himself to pray. Sometimes he prayed with his family or his disciples.

Los discípulos querían aprender a rezar como Jesús. Un día le pidieron: "Señor, enséñanos a orar". (Lucas 11:1) Jesús les enseñó esta oración:

Padre nuestro, que estás en el cielo,
santificado sea tu Nombre;
venga a nosotros tu reino;
hágase tu voluntad en la tierra como en el cielo.
Danos hoy nuestro pan de cada día;
perdona nuestras ofensas,
como también nosotros perdonamos a los que nos ofenden;
no nos dejes caer en la tentación,
y líbranos del mal. Amén.

Esta oración es el Padrenuestro. Es el mejor ejemplo de oración de la Iglesia.

Con tus propias palabras explica lo que rezamos cuando rezamos el Padrenuestro.

Podemos rezar con otros o solos.

Con frecuencia nos reunimos para alabar a Dios. Nos reunimos con otros a celebrar la **liturgia**, la oración pública y oficial de la Iglesia. Cada celebración, por ejemplo, la misa y los sacramentos, es una acción de toda la Iglesia. Juntos como Iglesia, adoramos a la Santísima Trinidad. Rezamos con Cristo y con toda la Iglesia, el cuerpo de Cristo.

Algunas veces rezamos solos, como lo hizo Jesús. Esto es la oración personal. Podemos rezar en cualquier momento y en cualquier lugar. Podemos hacer oraciones tales como el Padrenuestro o el Ave María. Podemos también rezar con nuestras propias palabras. Dios nos escucha cuando rezamos. El sabe lo que necesitamos.

Dibuja una forma en que a tu familia le gusta rezar.

The disciples wanted to learn how to pray as Jesus did. One day they said to him, "Lord, teach us to pray." (Luke 11:1) So Jesus taught them this prayer:

Our Father, who art in heaven,
hallowed be thy name;
thy kingdom come;
thy will be done on earth
  as it is in heaven.
Give us this day our daily bread;
and forgive us our trespasses
as we forgive those who trespass
  against us;
and lead us not into temptation,
but deliver us from evil. Amen.

This prayer is the Lord's Prayer. We also call it the Our Father. It is the greatest example of prayer for the Church.

Use your own words to tell what we pray for when we pray the Lord's Prayer.

We can pray with others or by ourselves.

We often come together to worship God. We gather with others to celebrate the liturgy, the official public prayer of the Church. Each celebration, such as the Mass and the sacraments, is an action of the whole Church. Together as the Church, we worship the Blessed Trinity. We pray with Christ and with the whole Church, the Body of Christ.

Sometimes we pray alone just as Jesus did. We call this personal prayer. We can pray at any time and in any place. We can pray prayers such as the Our Father and the Hail Mary. We can also pray with our own words. God listens to us when we pray. He knows what we need.

Draw one way your family likes to pray.

Hay diferentes tipos de oración.

Piensa en un día en que algo era tan hermoso o sorprendente que te hizo decir "¡WOW!" Esa admiración puede convertirse en una *oración de alabanza*. "¡Oh Dios, eres maravilloso!"

Piensa en un día en que pasaste una prueba difícil o cuando te sentiste mejor después de una enfermedad. Te sentiste agradecido de que Dios había sido tan bueno contigo. Dijiste, "¡Gracias, Señor!". Esta es una *oración de acción de gracias*.

Cuando pecamos, sabemos que hemos hecho algo malo. Pedimos perdón a Dios. Esta es una *oración de petición*.

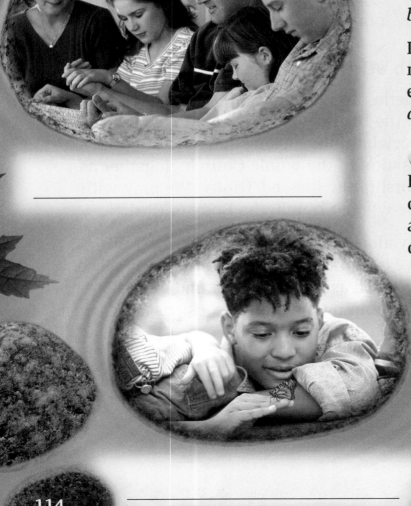

Generalmente hacemos una oración antes de las comidas. Pedimos a Dios que bendiga el regalo de nuestra comida. Esta es una *oración de bendición*.

Podemos pedir a Dios que ayude a nuestras familias, amigos y a todo el mundo. Esta es una *oración de intercesión*.

Mira las fotos en estas páginas. Escribe debajo de cada una el tipo de oración que se está rezando: alabanza, acción de gracias, petición, bendición o intercesión.

There are different kinds of prayer.

Think of a time when something was so beautiful or amazing that it made you think "Wow!" That feeling can become a *prayer of praise*. "O God, you are wonderful!"

Think of a time when you passed a difficult test or when you felt better after being sick. You felt grateful that God had been so good to you. You said, "Thank you so much, O Lord!" This is a *prayer of thanksgiving*.

There are other times when we know that we have done wrong, when we have sinned. We ask God for forgiveness. This is a *prayer of petition*.

A prayer is often prayed before a meal. We pray to God to bless the gift of our food. This is a *prayer of blessing*.

We can ask God to help our families, friends, and all the people in the world. This is a *prayer of intercession*.

Look at the pictures. Under each picture write the type of prayer that might be said: praise, thanksgiving, petition, blessing, or intercession.

La Iglesia reza siempre.

¿Sabes que la Iglesia siempre reza? En alguna parte del mundo, los niños empiezan su día orando. Al mismo tiempo en otras partes del mundo, otros niños están rezando para acostarse.

Hay oraciones especiales llamadas Liturgia de las Horas. Estas oraciones se rezan siete veces al día. Así que en algún lugar del mundo siempre alguien está rezando la Liturgia de las Horas.

Si viajamos por el mundo, podemos rezar en diferentes idiomas y de diferentes formas. Por ejemplo, en algunos países, la gente reza bailando.

Otras personas pueden rezar caminando en las calles en procesiones. En algunos países podemos ver a personas que se detienen a rezar en grutas a lo largo de los caminos. En otros lugares podemos ver a personas visitando a lugares santos. Estos viajes de oración son llamados **peregrinaciones**.

La mayor oración de la Iglesia es la misa. La misa es la celebración de la Eucaristía, el sacramento del Cuerpo y la Sangre de Cristo. Esta nos une a todos y nos guía para vivir como discípulos de Jesús.

Como católicos...

Podemos rezar con nuestros cuerpos. Mostramos respeto a la presencia de Jesús en la Eucaristía santiguándonos o haciendo una genuflexión ante el tabernáculo. Durante la misa rezamos de pie, de rodillas o sentados. Otras veces rezamos con nuestras manos juntas o con los brazos abiertos. Algunas personas rezan bailando.

¿Cómo te gusta rezar?

RESPONDEMOS

 En grupo hablen sobre algunas formas en que su parroquia reza. ¿Cómo esto ayuda a la gente a acercarse más a Dios? Escenifiquen una de ellas para el resto del curso.

Vocabulario
orar (pp 316)

sinagoga (pp 317)

liturgia (pp 316)

peregrinación (pp 317)

The Church prays at all times.

Did you know that the Church is always at prayer? In one part of the world, children are beginning their school day by praying. Yet at the same time in another part of the world, children are saying their prayers before going to bed.

There are special prayers called the Liturgy of the Hours. These prayers are prayed seven different times during the day. So somewhere in the world, people are always praying the Liturgy of the Hours.

If we could travel around the world, we would be able to pray in different languages and in different ways. For example, in some countries, people pray by taking part in dances.

Other people would be praying by walking through the streets in processions. In some countries, we would see people praying at shrines set up along the roads. In other places, we would see people making journeys to holy places. These prayer-journeys are called **pilgrimages**.

The greatest prayer of the Church is the Mass. The Mass is the celebration of the Eucharist, the sacrament of the Body and Blood of Christ. It unites us all and leads us to live as Jesus' disciples.

WE RESPOND

 In groups talk about some of the ways your parish prays. How do these ways help people to grow closer to God? Act out one of these ways for the rest of the class.

Key Words

prayer (p. 320)

synagogue (p. 320)

liturgy (p. 319)

pilgrimages (p. 320)

As Catholics...

We can pray with our bodies. We show respect for Jesus present in the Eucharist by genuflecting or bowing before the tabernacle. During Mass we pray by standing, kneeling, and sitting. At other times we pray with hands folded or with arms open wide. Sometimes people even pray by dancing!

How do you pray?

117

Aparea las palabras de la columna A con la descripción correcta en la columna B.

A	B
1. peregrinación	_____ lugar donde se reúnen los judíos a rezar y a aprender sobre Dios
2. oración	_____ la oración oficial y pública de la Iglesia
3. sinagoga	_____ paseo de oración a un lugar santo
4. liturgia	_____ escuchar y hablar con Dios

Contesta la siguiente pregunta:

5. ¿Cómo y cuándo rezó Jesús?

_____

_____

_____

Reflexiona y ora

Jesús quiere que recemos siempre. El está con nosotros dondequiera que estemos rezando en su nombre. Termina la oración.

Jesús, estás más cerca de mí que lo que puedo imaginar. Quédate conmigo siempre, especialmente ayúdame a:

_____

Review

Chapter 10

Match the words in Column A with the correct descriptions in Column B.

A	B
1. pilgrimage	——— gathering place where Jewish people pray and learn about God
2. prayer	——— the official public prayer of the Church
3. synagogue	——— a prayer-journey to a holy place
4. liturgy	——— listening and talking to God

Answer the question

5. How and when did Jesus pray?

_____

_____

_____

Reflect & Pray

Jesus wants us to pray always. He is with us whenever we pray in his name. Finish the prayer.

Jesus, you are closer to me than I know. Be with me at all times. Especially help me to

_____

119

Respondemos y compartimos la fe

Compartiendo lo aprendido

Mira la ilustración. Usala para decir a tu familia lo que aprendiste en este capítulo.

Recuerda

- Jesús enseña a sus seguidores a rezar.
- Podemos rezar con otros o solos.
- Hay diferentes tipos de oración.
- La Iglesia reza siempre.

Conversando con tu familia

Explica a tu familia los diferentes tipos de oración. Después de la misa del domingo, habla con tu familia de las oraciones de la misa que son oraciones de alabanza, oraciones de petición, oraciones de acción de gracias, oraciones de intercesión, y oraciones de bendición.

NUESTRA VIDA CATOLICA

Intercesiones generales

En todas las misas, rezamos las *intercesiones generales*. Son también llamadas *oración de los fieles*. Recordamos las necesidades de la Iglesia y de todo el mundo. Generalmente rezamos por: los líderes de la Iglesia y por toda la Iglesia; por los líderes del mundo y la situación mundial; nuestros vecindarios; los enfermos y los que han muerto. Cada persona puede hacer su oración personal.

Visita Sadlier en

www.CREEMOSweb.com

Conexión con el Catecismo
Para referencia vea los párrafos 2759, 2655, 2626, 2691 y 2697.

We Respond and Share the Faith

Sharing What I Learned

Look at the picture. Use it to tell your family what you learned in this chapter.

Remember

- Jesus teaches his followers how to pray.
- We can pray with others or by ourselves.
- There are different kinds of prayer.
- The Church prays at all times.

Family Feedback

Tell your family about the different kinds of prayer. Then after Mass on Sunday, talk about the prayers of the Mass that are prayers of praise, prayers of petition, prayers of thanksgiving, prayers of intercession, and prayers of blessings.

OUR CATHOLIC LIFE
General Intercessions

At every Mass, we pray the *general intercessions*. This is also called the *prayer of the faithful*. We remember the needs of the Church and all people in the world. We usually pray for: Church leaders and the whole Church; world leaders and world situations; our neighborhoods; the sick; and those who have died. Each person can also offer his or her own personal prayers.

 Connect to the Catechism
For adult background and reflection, see paragraphs 2759, 2655, 2626, 2691, and 2697.

Visit Sadlier's

www.CREEMOSweb.com

Somos la Parroquia de San Lucas

María

Tina

Francisco

Pablo

NOS CONGREGAMOS

✝ **Líder:** Escuchemos las palabras de Jesús.

Lector: "Los llamo mis amigos. Así como yo los amo a ustedes, así deben amarse ustedes los unos a los otros". (Juan 15:15; 13:34)

Todos: Gracias, Jesús, por llamarnos a ser tus amigos y seguidores en la Iglesia.

 ¿Cuándo se reúne toda tu familia? ¿Por qué?

CREEMOS

Pertenecemos a una parroquia.
Una parroquia es como una familia. Una **parroquia** es una comunidad de creyentes que adoran y trabajan juntos. Está compuesta de católicos que generalmente viven en el mismo vecindario. Es parte de una diócesis que es dirigida por un obispo.

WE GATHER

 Leader: Let us listen to the words of Jesus.

Reader: "I have called you friends. As I have loved you, so you also should love one another." (John 15:15; 13:34)

All: Thank you, Jesus, for calling us to be your friends and followers in the Church.

When does your whole family get together? Why?

WE BELIEVE

We belong to a parish.

A parish is like a family. A **parish** is a community of believers who worship and work together. It is made up of Catholics who usually live in the same town or neighborhood. It is part of a diocese which is led by a bishop.

Thank You JESUS!

123

Los miembros de una parroquia comparten la misma fe en Jesucristo. Los miembros de la parroquia se reúnen:

- para celebrar la misa y los demás sacramentos

- para rezar, aprender y crecer en la fe

- para trabajar por las necesidades de su parroquia

- para dar la bienvenida a personas que quieren ingresar a la Iglesia. Esas personas aprenden de otros sobre la fe católica. Ellas se preparan para los sacramentos de el Bautismo, la Confirmación y la Eucaristía.

Perteneces a una parroquia. En tu parroquia hay muchas formas de vivir y crecer como católico.

Dibuja o escribe sobre una vez que participaste en una actividad parroquial.

Muchas personas sirven en nuestra parroquia.

Por nuestro bautismo Dios nos llama. El nos llama a hacer su trabajo. Este trabajo es llevar la buena nueva de Jesucristo a otros. Ayudar en nuestra parroquia es una forma de servir a Dios y a la Iglesia.

The members of a parish share the same faith in Jesus Christ. Parish members:

- come together to celebrate the Mass and other sacraments
- come together to pray, learn, and grow in faith
- work together to meet the needs of their parish
- welcome people who want to become members of the Church. These people learn from others about the Catholic faith. They prepare for the sacraments of Baptism, Confirmation, and Eucharist.

You belong to a parish. In your parish there are many ways to live and grow as a Catholic.

Draw or write about one time you took part in a parish activity.

Many people serve our parish.

Through our Baptism God calls each one of us. He calls us to do his work. This work is to bring the good news of Jesus Christ to others. Helping in our parish is a way to serve God and the Church.

Párroco es el sacerdote que dirige a una parroquia en adoración, oración y enseñanza. Su trabajo más importante es dirigir a la parroquia en la celebración de la misa. La parroquia puede tener otros sacerdotes que trabajan con el párroco. Ellos ayudan celebrando los sacramentos y en otras actividades.

Algunas veces la parroquia tiene un diácono. **Diácono** es un hombre que no es sacerdote pero que ha recibido el sacramento del Orden. El sirve a la parroquia predicando, bautizando y ayudando a los obispos y a los sacerdotes.

Hay muchas formas de servir en tu parroquia. Estas son llamadas *ministerios*. Algunos ministerios son: catequista, director de servicios a los jóvenes, director de ministerios sociales, ministro de la Eucaristía, director musical, acólitos y lectores.

¿Cómo pueden tú y tu familia ayudar y servir en tu parroquia?

Nuestra comunidad parroquial se reúne para alabar.

Las celebraciones son partes importantes de la vida de la parroquia. La Iglesia siempre se ha reunido para celebrar la vida, la muerte y la resurrección de Jesús. Participar en la misa es parte importante de pertenecer a la Iglesia.

Jesús dijo: "Donde dos o tres se reúnen en mi nombre, allí estoy yo en medio de ellos". (Mateo 18:20) Así que cuando nos reunimos como parroquia, estamos en la presencia de Jesús. Nos reunimos a adorar, a dar gracias y a alabar a Dios.

Cada vez que, como parroquia, celebramos la misa y los sacramentos mostramos nuestra fe en Jesús. Mostramos nuestro amor por él y por los demás.

Nombra algo que te gusta del culto de tu parroquia.

Como católicos...

Algunas parroquias no tienen sacerdotes. En este caso el obispo de la diócesis selecciona un *administrador pastoral* para servir a la parroquia. Este administrador dirige las actividades de la parroquia. Guía a la parroquia en la educación religiosa y la oración. Sin embargo, el obispo siempre asigna a un sacerdote para celebrar la misa y los demás sacramentos.

¿Conoces alguna parroquia que tenga un administrador pastoral?

A **pastor** is the priest who leads the parish in worship, prayer, and teaching. His most important work is to lead the parish in the celebration of the Mass. The parish might have other priests who work with the pastor. They also lead the parish in the celebration of the sacraments and in parish activities.

Sometimes the parish has a deacon. A **deacon** is a man who is not a priest but has received the sacrament of Holy Orders. He serves the parish by preaching, baptizing, and assisting the pastor.

There are many ways of serving in your parish. These are called *ministries*. Some ministries are: catechist, director of youth services, director of social ministries, special ministers of the Eucharist, director of music, altar server, and reader.

How can you and your family help and serve your parish?

Our parish worships together.

Celebrations are an important part of parish life. The Church has always gathered to celebrate the life, death, and Resurrection of Jesus. Participating in Mass is an important part of belonging to the Church.

Jesus said, "Where two or three are gathered together in my name, there am I in the midst of them." (Matthew 18:20) So when we gather as a parish, we are in the presence of Jesus. We gather to worship, to give thanks and praise to God.

Every time we celebrate Mass and the sacraments as a parish, we show our faith in Jesus. We show our love for him and for one another.

Name one thing you enjoy about worshiping with your parish.

As Catholics...

Some parishes do not have priests to serve them. So the bishop of the diocese selects a *pastoral administrator* to serve the parish. This administrator leads parish activities. He or she guides the parish in religious education and prayer. However, the bishop always assigns a priest to celebrate Mass and the other sacraments at these parishes.

Do you know of any parishes with a pastoral administrator?

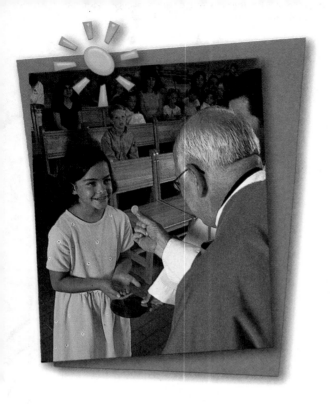

Nuestra parroquia ayuda a otros.

La alabanza en nuestra parroquia nos anima a ayudar a otros. Al final de la misa el sacerdote o el diácono nos dice: "Pueden ir en paz". Contestamos: "Demos gracias a Dios". Pero nuestra verdadera respuesta es el esfuerzo diario de ayudar a otros.

Amamos y servimos al Señor y a los demás:

- estudiando y aprendiendo más sobre nuestra fe católica

- compartiendo la buena nueva

- compartiendo lo que tenemos, dinero, tiempo, talentos, con los demás

- cuidando de los necesitados, los enfermos, los pobres, los que no tienen que comer

- haciendo las paces con los demás, aun cuando nos hayan ofendido

- trabajando por la justicia y tratando a todos con justicia y respeto

- Protegiendo los derechos de las personas que no tienen quien las defienda.

Todas estas acciones no son sólo cosas buenas. Son formas de mostrar que somos verdaderos seguidores de Jesucristo y miembros de su cuerpo, la Iglesia.

RESPONDEMOS

¿Qué cosas suceden en tu parroquia? Haz una lista de algunas de ellas.

_____

_____

_____

_____

_____

Vocabulario

parroquia (pp 316)

párroco (pp 316)

diácono (pp 315)

Our parish cares for others.

Our parish worship encourages us to help others. At the end of each Mass, the priest or deacon says to us, "Go in peace to love and serve the Lord." We answer by saying, "Thanks be to God." But our real answer comes in our daily effort to help others.

We love and serve the Lord and others by:

- studying and learning more about our Catholic faith

- sharing the good news

- sharing what we have—our money, our time, and our talents—with one another

- caring for those in need—the sick, the poor, and the hungry

- making peace with others, even those who hurt us

- working for justice by treating all people fairly and with respect

- protecting the rights of people who cannot stand up for themselves.

All these actions are not just nice things to do. They are ways to show that we are true followers of Jesus Christ and members of his Body, the Church.

WE RESPOND

 What kinds of things take place in your parish? List some of these things below.

_____

_____

_____

_____

_____

Key Words

parish (p. 319)

pastor (p. 320)

deacon (p. 318)

Escribe la palabra que complete la oración.

1. Una _____ es una comunidad de creyentes que juntos adoran y trabajan.

2. El sacerdote que dirige una parroquia es el _____.

3. Las diferentes maneras de servir en la parroquia son llamadas _____.

4. Al final de la misa el sacerdote o el diácono nos envía a amar y a ir en _____.

Completa la siguiente oración.

5. En nuestra parroquia _____

_____

Reflexiona y ora

La parroquia es una comunidad. ¿Qué he aprendido de mi parroquia sobre ser miembro de la Iglesia?

Termina esta oración.

Dios de amor,
nos pertenecemos unos a otros
como te pertenecemos ti, nuestro Dios.
Por medio de nuestra familia parroquial enséñanos a _____

_____

Write the word to complete the sentences.

1. A _____ is a community of believers who worship and work together.

2. The priest who leads a parish is called the _____.

3. Different ways of serving in a parish are called _____.

4. At the end of Mass, the priest or deacon sends us out to love and _____ the Lord.

Complete this sentence.

5. In our parish, we _____

_____

Reflect & Pray

The parish is a community. What have I learned from my parish about being a member of the Church?

Finish this prayer.

Loving Father,
we belong to each other
just as we belong to you, our God.
Through our parish family, teach us to _____

_____

Respondemos y compartimos la fe

Compartiendo lo aprendido

Mira la ilustración. Usala para decir a tu familia lo que aprendiste en este capítulo.

Recuerda

- Pertenecemos a una parroquia.
- Muchas personas sirven en nuestra parroquia.
- Nuestra comunidad parroquial se reúne para alabar.
- Nuestra parroquia ayuda a otros.

La Iglesia en la casa

Pide a tu familia organice una comida especial y hagan de ella una celebración. Compartan recuerdos felices. Recuerden los regalos que Dios les ha dado. Hablen sobre las formas en que la familia puede ayudar en la parroquia.

NUESTRA VIDA CATÓLICA
Cuidando de los enfermos

A través de la historia la Iglesia católica ha estado a la delantera cuidando de los enfermos. Sólo en los Estados Unidos hay aproximadamente seiscientos hospitales católicos.

Siempre que cuidemos de los enfermos, mostramos respeto por la vida. Los hospitales católicos siempre tratan de proteger la dignidad humana, desde el primer hasta el último momento de la vida.

Visita Sadlier en

www.CREEMOSweb.com

 Conexión con el Catecismo
Para referencia vea los párrafos 2179, 1348, 2182 y 2186.

We Respond and Share the Faith

Sharing What I Learned

Look at the picture. Use it to tell your family what you learned in this chapter.

Remember

- We belong to a parish.
- Many people serve our parish.
- Our parish worships together.
- Our parish cares for others.

The Church at Home

Ask your family to plan a special meal and make it a celebration. Share happy memories. Remember the gifts that God has given your family. Talk about the ways your family can help in your parish.

OUR CATHOLIC LIFE

Caring for the Sick

Throughout history the Catholic Church has been a leader in caring for the sick. In the United States alone, there are almost six hundred Catholic hospitals.

Whenever we care for the sick, we show our respect for life. Catholic hospitals always try to protect human dignity—from the first moment of life to the last moment.

Connect to the Catechism
For adult background and reflection, see paragraphs 2179, 1348, 2182, and 2186.

Visit Sadlier's

www.CREEMOSweb.com

NOS CONGREGAMOS

✝ **Líder:** Vamos a escuchar la palabra de Dios.

Lector: Lectura de la primera carta de San Juan.

"Queridos hermanos, si Dios nos ha amado así, nosotros también debemos amarnos unos a otros. A Dios nunca lo ha visto nadie, pero si nos amamos unos a otros, Dios vive en nosotros y su amor se hace realidad en nosotros". (1 Juan 4:11, 12)
Palabra de Dios

Todos: Te alabamos, Señor.

🎵 **Pueblo santo y elegido/Holy People, Chosen People**

Caminamos hacia ti,
oh ciudad de nuestro Dios,
construyendo este mundo
la verdad y el amor.

We go forward, fellow pilgrims,
with our hope whose name is Jesus.
He will save us, he will guide us,
with the light which is his word.

 ¿Que contestarías si alguien te pregunta: ¿Qué quieres ser cuando seas mayor?

CREEMOS

Dios nos llama a cada uno.

Por el Bautismo Dios nos llama a amarlo y servirlo. Esta es la misión que compartimos como miembros de la Iglesia. Nuestra misión es aprender de Jesús y continuar su trabajo en el mundo. Somos llamados a mostrar a Jesús a los demás para que ellos también lo amen y lo sigan.

God Calls Us to Holiness

WE GATHER

✝ **Leader:** Let us listen to the word of God.

Reader: A reading from the first Letter of Saint John

"Beloved, if God so loved us, we also must love one another. No one has ever seen God. Yet, if we love one another, God remains in us, and his love is brought to perfection in us." (1 John 4:11, 12)

The word of the Lord.

All: Thanks be to God.

🎵 **Holy People, Chosen People/Pueblo santo y elegido**

We go forward, fellow pilgrims,
with our hope whose name is Jesus.
He will save us, he will guide us,
with the light which is his word.

Caminamos hacia ti,
oh ciudad de nuestro Dios,
construyendo este mundo
la verdad y el amor.

 What would you say if someone asked you, "What do you want to be when you grow up?"

WE BELIEVE

God calls each of us.

In Baptism God calls all of us to love and to serve him. This is the mission we share as members of the Church. Our mission is to learn from Jesus and to continue his work in the world. We are called to show others who Jesus is so they will love and follow him, too.

135

Vocación es una llamada de Dios a servirlo de manera especial. Todo bautizado tiene una vocación de amor y servicio a Dios. Hay formas específicas de seguir nuestra vocación: la vida matrimonial, la vida de soltero, el sacerdocio y la vida religiosa.

Nadie vive su vocación solo. Vivimos como miembros de la Iglesia.

Habla con un compañero de personas en tu parroquia que siguen su vocación de servicio a Dios. Da algunos ejemplos de cómo lo hacen.

_____

_____

Dios nos llama a todos a ser santos.

La mayoría de los católicos viven su vocación como laicos. **Laicos** son los miembros bautizados de la Iglesia que comparten la misión de llevar la buena nueva de Cristo al mundo.

Algunos laicos son llamados a la vocación de casados. Los esposos muestran a Jesús al mundo por medio del amor que los une. Una forma importante de vivir su vocación es enseñando a su familia a rezar y a seguir a Jesucristo.

Algunos laicos viven su vocación como solteros. Ellos también responden el llamado de Dios viviendo sus vidas como lo hizo Jesús. Ellos usan su tiempo y talentos para servir a otros.

A **vocation** is God's call to serve him in a certain way. Each baptized person has a vocation to love and serve God. There are specific ways to follow our vocation: the married life, the single life, the priesthood, and the religious life.

None of us lives our vocation alone. We live it as a member of the Church.

 With a partner talk about people in your parish who follow their vocations to serve God. Give some examples of how they do this.

_____

_____

God calls everyone to be holy.

Most Catholics live out their vocation as laypeople. **Laypeople** are baptized members of the Church who share in the mission to bring the good news of Christ to the world.

Some laypeople are called to the vocation of married life. A husband and wife show Jesus to the world by the love that unites them. One important way they live out their vocations is by teaching their family to pray and to follow Jesus Christ.

Some laypeople live their vocation as single people in the world. They, too, answer God's call by living their lives as Jesus did. They use their time and talents to serve others.

Dios llama a todo el mundo a la santidad. Nuestra santidad viene de compartir la vida de Dios. Vivir una vida de santidad significa compartir la buena nueva de Jesús y ayudar a construir el reino de Dios. Esto lo hacemos cuando:

- hablamos de Jesús en nuestra parroquia, escuela o lugar de trabajo
- tratamos a los demás como Jesús trató a la gente
- nos preocupamos de los necesitados
- ayudamos a otros a saber que la vida y el amor de Dios están vivos en el mundo.

Dios llama a algunos hombres al sacerdocio.

Algunos hombres son llamados por Dios para servir como sacerdotes. Cuando un hombre sigue este llamado acepta un ministerio especial dentro de la Iglesia. En el sacramento del Orden, él es ordenado como sacerdote por un obispo.

Los sacerdotes prometen no casarse. Esto les permite compartir el amor de Dios con la gente e ir dondequiera que el obispo los envíe.

Mira las ilustraciones. ¿Cómo cada persona está viviendo su vocación? Dibuja una forma en que contestas el llamado de Dios hoy.

¿Cómo te ha ayudado el sacerdote de tu parroquia a conocer a Jesús?

_____

Pide a Dios que les ayude a continuar su trabajo en la Iglesia.

God calls all people to holiness. Our holiness comes from sharing God's life. To live a life of holiness means to share the good news of Jesus and help to build up God's Kingdom. We do this when we:

- tell others in our parish, our school, and our workplace about Jesus

- treat others as Jesus did

- care for those in need

- help others to know that God's life and love are alive in the world.

Look at the pictures. How is each person following his or her vocation? Draw a way you follow God's call right now.

God calls some men to be priests.

Some men are called by God to serve as priests. When a man follows this call, he accepts a special ministry within the Church. In the sacrament of Holy Orders, he is ordained to the priesthood by a bishop.

Priests promise not to marry. This allows them to share God's love with all people and to go wherever the bishop sends them.

How have the priests in your parish helped you learn about Jesus?

Ask God to help them to continue their work in the Church.

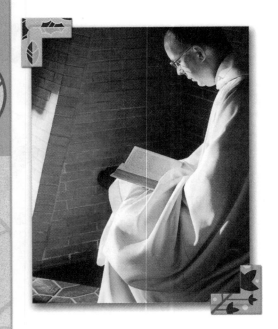

Dios llama a algunos para ser religiosos.

Algunos miembros de la Iglesia siguen a Jesucristo en la vida religiosa. Ellos son sacerdotes, hermanos y hermanas que pertenecen a comunidades religiosas. Ellos comparten sus vidas con Dios y con otros en forma especial.

Como miembros de sus comunidades religiosas ellos hacen **votos**, o promesas a Dios. Los votos generalmente son de castidad, pobreza y obediencia. Los religiosos prometen:

- vivir una vida de amor y servicio en la Iglesia y en sus comunidades religiosas. Por no estar casados dedican su vida a compartir el amor de Dios con todo el mundo.

- Vivir simplemente como vivió Jesús y no tener posesiones personales.

- Prometen escuchar cuidadosamente las direcciones de Dios en sus vidas e ir donde su comunidad religiosa los envíe a hacer el trabajo de Dios.

Los religiosos sirven a la Iglesia en diferentes formas. Algunos viven solos, otros viven en comunidad. Algunos viven separados del mundo para rezar todo el tiempo. Otros combinan la oración con una vida de servicios como maestros, trabajadores sociales, misioneros, doctores o enfermeras.

RESPONDEMOS

La Iglesia necesita ayuda y apoyo de todas las vocaciones. Cada vocación es importante para el crecimiento de la Iglesia.

Escribe una oración pidiendo a Dios ayude a todos los miembros de la Iglesia en sus vocaciones.

Como católicos...

Un diácono es un hombre ordenado en el sacramento del Orden. Un obispo lo ordena como ministro especial para el pueblo. El impone sus manos en el hombre y pide al Espíritu Santo lo fortalezca para bautizar, predicar y servir a la Iglesia.

¿Hay un diácono en tu parroquia? ¿Qué hace en tu parroquia?

Vocabulario

vocación (pp 317)

laico (pp 316)

votos (pp 317)

God calls some people to religious life.

Some Church members follow Jesus Christ in the religious life. They are priests, brothers, or sisters who belong to religious communities. They share their lives with God and others in a special way.

As members of their religious communities they make **vows**, or promises to God. The vows usually are chastity, poverty, and obedience. Those in religious life promise to:

- live a life of loving service to the Church and their religious community. By not marrying they can devote themselves to sharing God's love with all people.

- live simply as Jesus did and own no personal property.

- listen carefully to God's direction in their lives and to go wherever their religious community sends them to do God's work.

Those in religious life serve the Church in many different ways. Some live alone; others live in community. Some live apart from the world so they can pray all the time. Others combine prayer with a life of service as teachers, social workers, missionaries, doctors, and nurses.

WE RESPOND

The Church needs the help and support of people in every vocation. Each vocation is important for the growth of the Church.

Write a prayer asking God to help all Church members in their vocations.

As Catholics...

A deacon is a man who is ordained in the sacrament of Holy Orders. A bishop ordains him as a special minister to the people. He lays his hands on the man and asks the Holy Spirit to strengthen him in preaching, baptizing, and serving the Church

Does your parish have a deacon? What does he do in your parish?

Key Words

vocation (p. 320)

laypeople (p. 319)

vows (p. 320)

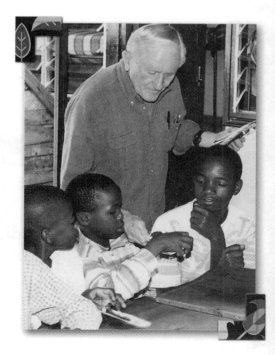

Escribe V si la oración es verdadera y F si es falsa.

1. Trabajo es la invitación a servir a Dios en la Iglesia de manera especial. _F_

2. Laico es un miembro bautizado de la Iglesia que comparte la misión de llevar la buena nueva de Cristo al mundo. _V_

3. Los religiosos hacen votos o promesas a Dios. _V_

4. Los obispos ordenan sacerdotes por medio del sacramento de la Confirmación _F_

Contesta las siguientes preguntas.

5. ¿Qué es una vocación? ¿Por qué decimos que todos en la Iglesia tienen una vocación? _nuestra misssoin_ _esjo aprenderda a ja de_ _Jesus y continuar nuestro_ _trabjo_

Reflect & Pray

En la Biblia, Dios nos dice: "Te llamé por tu nombre, tú eres mío". (Isaías 43:1) ¿Cómo te sientes al oír eso? ¿Cómo puedes convencer a otros de que son importantes para Dios?

Dios, me has llamado por mi nombre. Ayúdame a contestar tu llamada esta semana _____

Write T if the sentence is true. Write F if the sentence is false.

1. A job is the invitation to serve God in the Church in a special way. _____

2. Laypeople are baptized members of the Church who share in the mission to bring the good news of Christ to the world. _____

3. Those in religious life make vows, or promises to God. _____

4. Bishops ordain priests through the sacrament of Confirmation. _____

Answer these questions.

5. What is a vocation? Why do we say that everyone in the Church has a vocation? _____

_____

_____

Reflect & Pray

In the Bible, God tells us, "I have called you by name: you are mine." (Isaiah 43:1) How does this make you feel? How can you convince others that they, too, are important to God?

Lord, you have called me by name. Help me to answer your call this week by _____

_____

Compartiendo lo aprendido

Mira la ilustración. Usala para decir a tu familia lo que aprendiste en este capítulo.

Recuerda

- Dios nos llama a cada uno.
- Dios nos llama a todos a ser santos.
- Dios llama a algunos hombres al sacerdocio.
- Dios llama a algunos para ser religiosos.

Vocaciones de la familia

Hacer un "árbol de vocaciones en la familia". Pongan los nombres de sus padres, abuelos y tíos en el árbol. Descubre como cada uno está sirviendo a Dios en la Iglesia.

NUESTRA VIDA CATOLICA

Ayudando

Los santos son ejemplos de santidad. Ellos nos muestran como seguir a Jesús. Martín de Porres nació en Lima, Perú, en 1579. Durante su niñez no siempre fue tratado con respeto. Pero aprendió como respetar a los demás. Martín se hizo hermano religioso. El pasaba los días cuidando a niños pobres, a enfermos y desamparados. Podemos seguir a Jesús con todo nuestro corazón como lo hizo San Martín.

Visita Sadlier en

www.CREEMOSweb.com

Conexión con el Catecismo
Para referencia vea los párrafos 1213, 825, 1719, 1565 y 915.

We Respond and Share the Faith

Sharing What I Learned

Look at the picture. Use it to tell your family what you learned in this chapter.

Remember

- God calls each of us.
- God calls everyone to be holy.
- God calls some men to be priests.
- God calls some people to religious life.

Family Vocations

Make a "Family Vocation Tree." Put the names of your parents, grandparents, uncles, and aunts on this tree. Find out how each person is serving God in the Church.

OUR CATHOLIC LIFE

Helping People

The saints are examples of holiness. They show us how to follow Jesus. Martin de Porres was born in Lima, Peru, in 1579. During his childhood he was not always treated with respect. But he learned how to treat others with respect. Martin became a religious brother. He spent each day caring for poor children and for the sick and homeless. We can follow Jesus with all our hearts as Saint Martin did.

Connect to the Catechism
For adult background and reflection, see paragraphs 1213, 825, 1719, 1565, and 915.

Visit Sadlier's
www.CREEMOSweb.com

Adviento

13

El Tiempo de Adviento nos ayuda a preparar para la venida del Hijo de Dios.

NOS CONGREGAMOS

♫ Preparen el camino

Preparen el camino,
el camino del Señor,
que los montes se aplanen,
los pozos se rellenen.
Preparen el camino del Señor.

CREEMOS

La palabra *adviento* significa "venida". Cada año durante el Adviento nos preparamos para celebrar la primera venida del Hijo de Dios. Nos preparamos para celebrar el nacimiento de Jesucristo en Navidad.

Durante el Adviento, nos regocijamos de que Jesús es nuestro Salvador. El es el Hijo de Dios enviado para salvarnos de nuestros pecados. Recordamos que el pueblo de Dios esperó durante muchos años la llegada del Salvador. Durante esos años de espera, Dios habló a su pueblo por medio de los profetas. Los profetas dijeron al pueblo que se preparara para el Salvador.

> "Preparen el camino del Señor, ábranle un camino recto".
>
> Lucas 3:4

Advent

The season of Advent helps us prepare for the coming of the Son of God.

WE GATHER

🎵 **Prepare the Way**

Prepare the way
for the coming of God.
Make a straight path
for the coming of God.

WE BELIEVE

The word *Advent* means "coming." Each year during Advent we prepare to celebrate the first coming of the Son of God. We prepare to celebrate the birth of Jesus Christ at Christmas.

During Advent, we rejoice that Jesus is our Savior. He is the Son of God sent to save us from sin. We remember that God's people waited many, many years for the Savior to come. During those years of waiting, God spoke to his people through the prophets. The prophets told the people to prepare for the Savior.

"Prepare the way of the Lord, make straight his paths."

Luke 3:4

El pueblo debía:

- rezar y adorar a Dios

- ser justo con todos

- alejarse del pecado y pedir a Dios ayuda para vivir una buena vida.

Las cuatro semanas de Adviento son especiales para nosotros. Igual que el pueblo de Dios hace muchos años, nos preparamos para la venida del Salvador. Rezamos a Dios, pedimos perdón de nuestros pecados y trabajamos por la paz. De nuevo esperamos la venida del Hijo de Dios. Nos preparamos para la segunda venida de Jesucristo.

¿Qué puedes hacer durante el Adviento para preparar el camino del Señor? Escríbelo aquí.

Resar er a misa aydar a los de mas. Gve food to my pet.

148

The people were to:

- pray and worship God
- work for peace
- be just and fair to everyone
- turn away from sin and ask God for the help to live a good life.

The four weeks of Advent are a special time for us. Like God's people many years ago, we prepare for the coming of the Savior. We pray to God, seek his forgiveness, and work for peace. We wait and watch for the Son of God to come again. We prepare for the second coming of Jesus Christ.

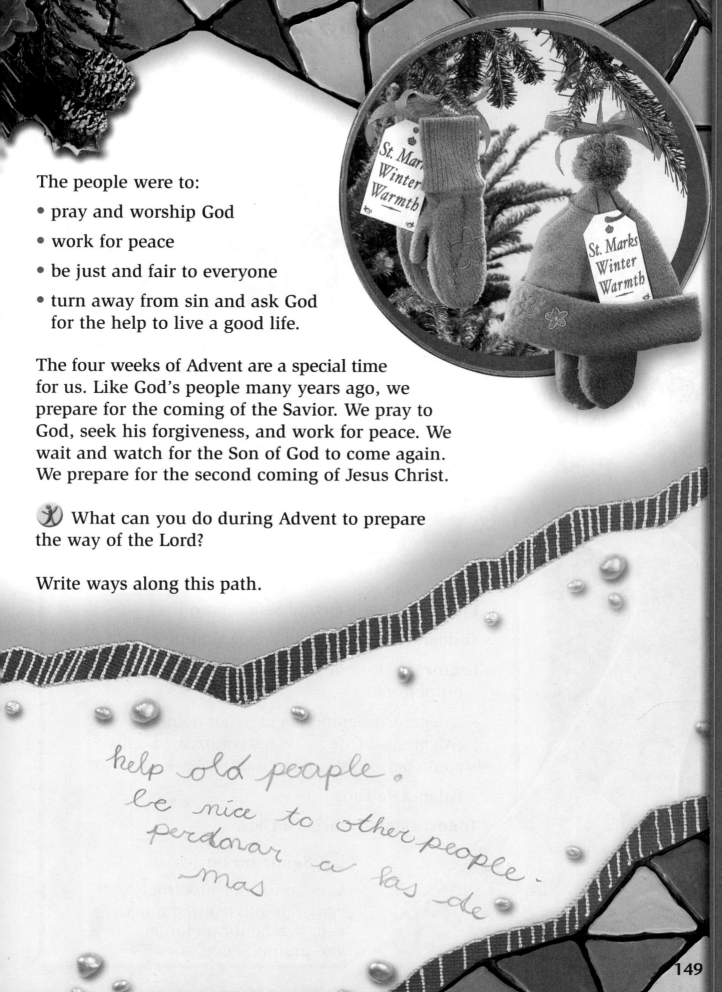

What can you do during Advent to prepare the way of the Lord?

Write ways along this path.

help old people.
be nice to other people.
perdonar a las de
mas

RESPONDEMOS

La Iglesia honra a los santos durante todo el año. He aquí algunos santos que honramos durante el Adviento. Ellos nos ayudan a regocijarnos en la venida del Señor. Sus vidas nos ayudan a ver que el Señor está cerca.

El pueblo suizo estaba sufriendo hambre. Ellos rezaron a Santa Lucia y recibieron ayuda.

María se apareció a San Juan Diego en Guadalupe, México.

San Nicolás ayudó a familias pobres dándoles dinero.

¿Cómo tu parroquia y tu familia celebran el Tiempo de Adviento?

✝ Respondemos en oración

Líder: ¡Alégrense en el Señor, porque él está cerca!

Todos: ¡Alégrense en el Señor, porque él está cerca!

Lector: Lectura de la carta de San Pablo a los Filipenses

"Alégrense siempre en el Señor. Repito: ¡Alégrense! Que todos los conozcan a ustedes como personas bondadosas". (Filipenses 4:4–5)

Palabra de Dios

Todos: Demos gracias a Dios.

🎵 Señor no tardes

Ven, ven Señor no tardes,
ven, ven que te esperamos,
ven, ven Señor no tardes,
ven pronto Señor.

WE RESPOND

The Church honors saints all year long. Here are some saints that we honor during Advent. They help us to rejoice in the coming of the Lord. Their lives help us to see that the Lord is near.

The people of Sweden were suffering from hunger. They prayed to Saint Lucy and received help.

Mary made an appearance to Saint Juan Diego in Guadalupe, Mexico.

Saint Nicholas helped poor families by giving them money.

How does your family and parish celebrate the season of Advent?

✝ We Respond in Prayer

Leader: Rejoice in the Lord for he is near!

All: Rejoice in the Lord for he is near!

Reader: A reading from the Letter of Saint Paul to the Philippians

"Rejoice in the Lord always. I shall say it again: rejoice! Your kindness should be known to all. The Lord is near." (Philippians 4:4–5)

The word of the Lord.

All: Thanks be to God.

 Do Not Delay

Do not delay,
Come, Lord, today:
Show us the way
    to the Father.

Respondemos y compartimos la fe

Compartiendo lo aprendido

Mira la ilustración. Usala para decir a tu familia lo que aprendiste en este capítulo.

Regalos de Adviento

Durante el Adviento anima a tu familia a darse "regalos de bondad". Corta papel de regalos de Navidad en pedazos pequeños. Cada cuadrito representa un regalo de bondad. Coloca cerca una caja para depositar los regalos.

Invita a cada miembro de la familia a hacer un acto de bondad durante cada día de Adviento. Después pide a cada uno escribirlo en un cuadrito y colocarlo en la caja. El día de Navidad coloca la caja debajo del árbol de Navidad como regalo de la familia a Jesús.

Oración en familia para Adviento

(Dirige a tu familia en oración)

Señor Jesús, ayúdanos a hacer lugar para ti en nuestros corazones durante este Adviento.

Ven, Señor Jesús.

Conexión con el Catecismo
Para referencia vea el párrafo 524.

We Respond and Share the Faith

Sharing What I Learned

Look at the picture. Use it to tell your family what you have learned in this chapter.

Advent Gifts

During Advent, encourage your family to give "gifts of kindness" to others. Cut sheets of paper into small squares. Then put a box next to the squares. Each square represents a gift of kindness.

Invite each family member to do a kind act each day during Advent. Then ask each one to write that kind act on a square and place the square into the box. At Christmas, put the box of "kind gifts" under the tree as your family's gift to Jesus.

A Family Prayer for Advent

(Lead your family in this prayer.)

Lord Jesus, help us to make room for you in our hearts this Advent.

Come, Lord Jesus!

my kind act was to gi...

Connect to the Catechism
For adult background and reflection, see paragraph 524.

Visit Sadlier's

www.CREEMOSweb.com

14 Navidad

Navidad es un tiempo especial para celebrar que Dios está con nosotros

NOS CONGREGAMOS

¿Has esperado a alguien alguna vez? ¿Cómo te sentiste cuando llegó esa persona? ¿Qué hiciste para celebrar?

CREEMOS

Durante el Tiempo de Navidad celebramos que ha terminado la espera. El Salvador esperado por el pueblo de Dios ha llegado. El Hijo de Dios se hizo uno de nosotros para salvarnos. Jesús es el Hijo de Dios que vivió entre nosotros.

Lucas 2:1–12

Cuando María y José vivían, el emperador dictó una nueva ley. Todo el mundo tenía que ser contado. Los hombres tenían que ir al pueblo de su familia. Ellos tenían que firmar una lista y ser contados.

José nació en Belén, la ciudad de David. Así que fue a Belén con María.

"Y sucedió que mientras estaban en Belén, le llegó a María el tiempo de dar a luz. Y allí nació a su primer hijo, y lo envolvió en pañales y lo acostó en el establo, porque no había alojamiento para ellos en el mesón". (Lucas 2:6–7)

"Hoy les ha nacido un Salvador, Cristo el Señor"
Salmo responsorial para la misa de Medianoche

Christmas

The Christmas season is a special time to celebrate that God is with us.

WE GATHER

Have you ever waited for someone? How did you feel when that person arrived? What did you do to celebrate?

WE BELIEVE

During the season of Christmas we celebrate that the wait is over. The Savior that God's people had waited for has come. The Son of God became one of us to save us. Jesus is the Son of God who lived among us.

Luke 2:1–12

During the time of Mary and Joseph, the emperor made a new rule. All the people of the whole world had to be counted. All men had to go to the town of their father's family. They had to sign a list and be counted.

Joseph was from Bethlehem, the city of David. So he had go to Bethlehem with Mary.

"While they were there, the time came for her to have her child, and she gave birth to her firstborn son. She wrapped him in swaddling clothes and laid him in a manger, because there was no room for them in the inn." (Luke 2:6–7)

"Today is born our Savior, Christ the Lord!"
Responsorial Psalm, Christmas Mass at Midnight

155

El ángel del Señor dijo a unos pastores que estaban en el campo:

"No tengan miedo, porque les traigo una buena noticia, que será motivo de gran alegría para todos: "Hoy, les ha nacido en el pueblo de David un salvador, que es el Mesías, el Señor. Como señal encontrarán ustedes al niño envuelto en pañales y acostado en un establo". (Lucas 2:10–12)

Jesús es nuestro Señor y Mesías. Durante el Adviento y Navidad escuchamos llamar a Jesús, Emanuel. *Emanuel* quiere decir "Dios con nosotros". Esto es lo que celebramos en Navidad: Dios está con nosotros hoy, ahora y siempre.

Escribe una canción para decir la buena nueva de que Jesús está con nosotros. Usa una tonada que conozcas o puedes hacer la tuya.

Nuestro Salvador yego
yego para salvarnos
a todos No agos un eror
no agas pecado

There were shepherds in the fields nearby.
The angel of the Lord came to them and said:

"Do not be afraid; for behold, I proclaim to you good news of great joy that will be for all the people. For today in the city of David a savior has been born for you who is Messiah and Lord. You will find an infant wrapped in swaddling clothes and lying in a manger." (Luke 2:10–12)

Jesus is our Lord and Messiah. During Advent and Christmas we hear Jesus called Emmanuel. The name *Emmanuel* means "God with us." This is what we are celebrating during Christmas: God is with us today, now and forever.

Write your own song to tell others the good news that Jesus is with us. Use a tune you know or make up one of your own.

_____

_____

_____

_____

_____

_____

_____

Navidad es un tiempo de celebración. La Iglesia celebra muchas fiestas importantes durante ese tiempo.

25 de diciembre	Navidad
Primer domingo de Navidad	Sagrada Familia
Segundo domingo de Navidad	Epifanía
Tercer domingo de Navidad	El Bautismo del Señor
26 de diciembre	San Esteban
27 de diciembre	San Juan apóstol
28 de diciembre	Santos Inocentes
29 de diciembre	Santo Tomás Becket
1 de enero	María, Madre de Dios
4 de enero	Santa Isabel Ann Seton
5 de enero	San Juan Neumann

RESPONDEMOS

Dibuja una forma en que tu parroquia celebra durante el Tiempo de Navidad.

✝ Respondemos en oración

Líder: Te damos gracias, Dios, por las vidas de los Santos. Quédate con nosotros le pedimos que intercedan por nosotros.

Todos: Bendito sea Dios por siempre.

Lector: Esteban fue un diácono. El fue el primero en dar su vida por la fe en Jesús.

San Esteban,

Todos: Ruega por nosotros.

Lector: Jesús escogió a Juan para ser su apóstol.

San Juan fue el autor de unos de los evangelios. El escribió que Dios es amor. San Juan,

Todos: Ruega por nosotros.

The Christmas season is a season of celebration. The Church celebrates many important feasts during this time.

December 25	Christmas
First Sunday after Christmas	Holy Family
Second Sunday after Christmas . . .	Epiphany
Third Sunday after Christmas	The Baptism of the Lord
December 26	Saint Stephen
December 27	Saint John the Apostle
December 28	The Holy Innocents
December 29	Saint Thomas Becket
January 1	Mary, the Mother of God
January 4	Saint Elizabeth Ann Seton
January 5	Saint John Neumann

WE RESPOND

Draw one way your parish celebrates during the Christmas season.

✝ We Respond in Prayer

Leader: We thank you, God, for the lives of your holy people. Be with us as we ask their prayers for us.

All: Blessed be God for ever.

Reader: Saint Stephen was a deacon. He was the first to give his life for his faith in Jesus.

Saint Stephen,

All: Pray for us.

Reader: Jesus chose John to be an apostle. Saint John was the author of one of the four gospels. He wrote that God is love.

Saint John,

All: Pray for us.

Respondemos y compartimos la fe

Compartiendo lo aprendido

Mira la ilustración. Usala para decir a tu familia lo que aprendiste en este capítulo.

Alrededor de la mesa

Reúnanse todas las noches durante el Tiempo de Navidad. Compartan cosas especiales que hicieron o recibieron como parte de la celebración del tiempo. Por ejemplo: puedes compartir canciones, oraciones, tarjetas recibidas.

Calendario de Navidad

Haz un calendario de Navidad. Marca el día de Navidad y pon los nombres en los domingos especiales. Después el nombre de los santos que recordamos durante el Tiempo. Investiga sobre sus vidas. ¿Por qué crees que la Iglesia los honra en Navidad?

Tiempo de Navidad

Visita Sadlier en

www.CREEMOSweb.com

Conexión con el Catecismo
Para referencia vea el párrafo 526.

We Respond and Share the Faith

Sharing What I Learned

Look at the picture. Use it to tell your family what you learned in this chapter.

Around the Table

Gather together each evening during the Christmas season. Share special things you did or received as part of your celebration of the season. For example, you might share songs, prayers, cards you received, or crafts you made.

Christmas Calendar

Make a calendar of the Christmas season. Mark Christmas Day and fill in the special names for the Sundays of the Christmas season.

Then fill in the names of the saints we remember during this season. Find out about their lives. Why do you think the Church honors them during Christmas?

Christmas Season

Connect to the Catechism
For adult background and reflection, see paragraph 526.

Celebramos los sacramentos

15

NOS CONGREGAMOS

✝ **Líder:** Demos gracias a Dios por todo el amor que nos muestra.

Lector: "Pues Dios amó tanto al mundo, que dio a su Hijo único, para que todo aquel que cree en él no muera, sino que tenga vida eterna". (Juan 3:16)

Todos: Gracias Dios, por darnos a tu Hijo, Jesús. Amén

🎵 **Todos los que han sido bautizados**

Todos lo que han sido bautizados
han sido revestidos en Cristo Jesús,
han sido revestidos en Cristo Jesús.
Hemos sido bautizados en tu nombre, buen Señor,
y lavados del pecado en la fuente de tu amor.

☀ ¿Cuáles signos ves en tu vecindario?

CREEMOS

La Iglesia celebra los sacramentos.

Todos los días vemos signos. Un signo nos habla de algo. Puede ser algo que vemos o que hacemos.

Jesús con frecuencia señalaba cosas ordinarias para ayudarnos a aprender más sobre Dios. El habló de las aves, del trigo y de las flores silvestres como signos del amor de Dios. Las acciones de Jesús también fueron signos del amor de Dios. El sostuvo a los niños en sus brazos. Tocó a la gente para sanarla. Consoló a los pecadores y los perdonó.

We Celebrate the Sacraments

WE GATHER

✝ **Leader:** Let us thank God for all the ways he shows his love for us.

Reader: "For God so loved the world that he gave his only Son, so that everyone who believes in him might not perish but might have eternal life." (John 3:16)

All: Thank you, God, for giving us your Son, Jesus. Amen.

🎵 Jesus Is with Us

Jesus is with us today,
beside us to guide us today.
Jesus teaches us, Jesus heals us,
for we are his Church;
we are his chosen;
we are the children of God.

☀ What are some signs you see in your neighborhood?

WE BELIEVE

The Church celebrates the sacraments.

Every day we can see all kinds of signs. A sign can be something we see or something we do.

Jesus often pointed to ordinary things to help us to learn more about God. He spoke about birds, wheat, and even wildflowers as signs of God's love. Jesus' actions were signs of God's love, too. He held children in his arms. He touched people and healed them. He comforted sinners and forgave them.

163

La Iglesia celebra siete signos especiales. Estos son llamados sacramentos. Un **sacramento** es un signo especial dado por Jesús por medio del cual compartimos la vida y el amor de Dios. Los siete sacramentos son: Bautismo, Confirmación, Eucaristía, Penitencia y Reconciliación, Unción de los Enfermos, Orden Sagrado y Matrimonio.

Por el poder del Espíritu Santo, recibimos y celebramos la vida y el amor de Dios en los sacramentos. Compartir la vida y el amor de Dios es la **gracia**. Por medio del poder de la gracia, crecemos en santidad. Los sacramentos nos ayudan a vivir como discípulos de Jesús.

Haz una lista de los sacramentos que has recibido.

Bautismo y Reconsilación

Bautismo, Confirmación y Eucaristía son los sacramentos de iniciación cristiana.

Nos unimos a Jesús y a la Iglesia por medio de los **sacramentos de iniciación cristiana**: Bautismo, Confirmación y Eucaristía. Otro nombre para *iniciación* es *inicio*. Por medio de los sacramentos de iniciación, una nueva vida de gracia empieza en nosotros.

En el Bautismo la Iglesia nos da la bienvenida. Nos hacemos hijos de Dios y miembros de la Iglesia. Cada uno de nosotros nace con el **pecado original**, primer pecado cometido por los primeros humanos. Por medio del Bautismo Dios nos libra del pecado original y de todo pecado que hayamos cometido. Dios nos llena con su gracia, su vida y amor.

The Church celebrates seven special signs. We call these signs sacraments. A sacrament is a special sign given to us by Jesus through which we share in God's life and love. The seven sacraments are Baptism, Confirmation, Eucharist, Penance and Reconciliation, Anointing of the Sick, Holy Orders, and Matrimony.

Through the power of the Holy Spirit, we receive and celebrate God's own life and love in the sacraments. Our share in God's life and love is called grace. Through the power of grace, we grow in holiness. The sacraments help us to live as Jesus' disciples.

 List the sacraments you have received.

_____

_____

_____

Baptism, Confirmation, and Eucharist are the sacraments of Christian initiation.

We are joined to Jesus and the Church through the sacraments of Christian initiation: Baptism, Confirmation, and Eucharist. Another word for *initiation* is *beginning*. Through the sacraments of Christian initiation, a new life of grace begins in us.

In Baptism the Church welcomes us. We become children of God and members of the Church. Each of us is born with original sin, the first sin committed by the first human beings. Through Baptism God frees us from original sin and forgives any sins we may have committed. God fills us with grace, his life and love.

En la confirmación somos sellados con el don del Espíritu Santo. El Espíritu Santo nos fortalece y nos da valor para vivir como discípulos de Jesús.

En la Eucaristía alabamos y damos gracias a Dios Padre por enviar a su Hijo, Jesús. Recibimos el Cuerpo y la Sangre de Jesús en la comunión. Nos acercamos más a Jesús y a los miembros de la Iglesia.

En grupos hablen sobre como la parroquia celebra los sacramentos de iniciación cristiana.

Reconciliación y Unción de los Enfermos son los sacramentos de sanación.

Durante su ministerio Jesús sanó a muchas personas. Algunas veces él las sanó de las enfermedades. Otras veces perdonó sus pecados.

Jesús dio a la Iglesia el poder de seguir su misión sanadora. La Iglesia lo hace especialmente por medio de dos sacramentos: Reconciliación y Unción de los Enfermos. Estos sacramentos son llamados sacramentos de sanación.

En el sacramento de Reconciliación confesamos nuestros pecados al sacerdote y prometemos mejorar. En el nombre de Dios, el sacerdote perdona nuestros pecados. Nuestra relación con Dios y con los demás es sanada.

En el sacramento de Unción de los enfermos, el sacerdote impone sus manos en el enfermo. Lo bendice con santo óleo y reza para que sane. Los enfermos son fortalecidos en su fe y algunas veces también en sus cuerpos. Ellos reciben la paz de Cristo.

Piensa en alguien a quien tienes que perdonar o en algún enfermo. ¿Qué puedes hacer para mostrarles que los amas y apoyas?

In Confirmation we are sealed with the Gift of the Holy Spirit. The Holy Spirit gives us strength and courage to live as disciples of Jesus.

In the Eucharist we praise and thank God the Father for sending his Son, Jesus. We receive Jesus' Body and Blood in Holy Communion. We grow closer to Jesus and all the members of the Church.

In groups talk about how your parish celebrates the sacraments of Christian initiation.

Reconciliation and Anointing of the Sick are sacraments of healing.

During his ministry Jesus healed many people. Sometimes he did this when he cured them of their sicknesses. At other times Jesus forgave people their sins.

Jesus gave the Church the power to continue his healing work. The Church does this especially through two sacraments: Reconciliation and Anointing of the Sick. These sacraments are called sacraments of healing.

In the sacrament of Reconciliation, we confess our sins to the priest and promise to do better. In the name of God, the priest forgives our sins. Our relationship with God and others is healed.

In the sacrament of the Anointing of the Sick, the priest lays his hands on the sick. He blesses them with holy oil and prays for their health. They are strengthened in their faith and sometimes their bodies are healed. They receive the peace of Christ.

Think about someone you need to forgive or someone you know who is sick. What can you do to show them your love and care?

Orden Sagrado y Matrimonio son los sacramentos de servicio a los demás.

Por medio del Bautismo Dios nos llama a cada uno a ser un signo de su amor para los demás. Cada uno tiene una vocación de servir a Dios y a la Iglesia. La Iglesia celebra dos sacramentos que son especialmente signos de servicio: Orden Sagrado y Matrimonio.

En el sacramento del Orden, algunos hombres son ordenados para servir a la Iglesia como diáconos, sacerdotes y obispos. Este sacramento les da la gracia de vivir su vocación de servicio en la Iglesia.

Los obispos sirven a la Iglesia dirigiendo una comunidad de fe grande llamada diócesis. Ellos dirigen sus diócesis en servicio, enseñanza, oración y sacramentos. Bajo su guía, los sacerdotes continúan el ministerio de Jesús.

Los sacerdotes sirven en parroquias. Ellos dirigen la celebración de los sacramentos, guían al pueblo que sirven y ayudan a los necesitados. Algunos son maestros de escuelas.

Junto a los obispos y los sacerdotes, los diáconos son ordenados para servir en sus diócesis. Los diáconos hacen muchas cosas par ayudar en el culto de la parroquia. Ellos también tienen una responsabilidad especial de servir a los necesitados.

En el sacramento del Matrimonio, el amor de un hombre y una mujer es bendecido. Ellos están unidos en el amor de Cristo. Los esposos reciben la gracia que les ayuda a ser fieles. El sacramento también ayuda a la pareja a compartir el amor de Dios con su familia. Su santidad aumenta a medida que sirven juntos en la Iglesia.

RESPONDEMOS

 Dibuja o escribe como tú y tus amigos se unen en la celebración de los sacramentos.

Vocabulario

sacramento (pp 317)

gracia (pp 315)

sacramentos de iniciación cristiana (pp 317)

pecado original (pp 317)

Holy Orders and Matrimony are sacraments of service to others.

Through Baptism God calls each one of us to be a sign of his love to others. We each have a vocation to serve God and the Church. The Church celebrates two sacraments that are special signs of service: Holy Orders and Matrimony.

In the sacrament of Holy Orders, certain men are ordained to serve the Church as deacons, priests, and bishops. This sacrament gives them the grace to live out their vocation of service in the Church.

Bishops serve the Church by leading a larger community of faith called a diocese. They lead their dioceses in service, teaching, prayer, and sacraments. Under their guidance, priests also carry on the ministry of Jesus.

Priests usually serve in parishes. They lead the celebration of the sacraments, guide the people they serve, and reach out to those who are in need. Some priests teach in schools.

Along with the bishop and priests, deacons are ordained to serve their dioceses. Deacons do many things to help in their parish worship. They also have a special responsibility to serve those who are in need.

In the sacrament of Matrimony, or Marriage, the love of a man and woman is blessed. They are united in the love of Christ. The husband and wife receive the grace to help them to be faithful to each other. The sacrament also helps the couple to share God's love with their family. They grow in holiness as they serve the Church together.

WE RESPOND

Draw or write how you and your friends join in the celebration of the sacraments.

Key Words

sacrament (p. 320)

grace (p. 319)

sacraments of Christian initiation (p. 320)

original sin (p. 319)

169

Usa las palabras en el cuadro para completar las oraciones.

Matrimonio	Unción de los Enfermos	sacramento
	Reconciliación	Eucaristía

1. Un _____ es un signo especial dado por Jesús por medio del cual compartimos la vida y el amor de Dios.

2. Bautismo, Confirmación y _____ son los sacramentos de iniciación cristiana.

3. Unción de los Enfermos y _____ son los sacramentos de sanación.

4. Orden Sagrado y _____ son lo sacramentos de servicio a los demás.

Completa la siguiente oración.

5. Por medio de los sacramentos

_____

Reflexiona y ora

¿Cuáles son algunas de las formas en que Dios comparte su vida y amor con nosotros?

_____

Jesús, ayúdame a ser un signo del amor de Dios en el mundo hoy.

Ayúdame a _____

Review

Use the words in the box to complete the sentences.

Matrimony   Anointing of the Sick   sacrament
Reconciliation   Eucharist

1. A _____ is a special sign given to us by Jesus through which we share in God's life and love.

2. Baptism, Confirmation, and _____ are the sacraments of Christian initiation.

3. Anointing of the Sick and _____ are sacraments of healing.

4. Holy Orders and _____ are sacraments of service to others.

Finish this sentence.

5. Through the sacraments _____

_____

Reflect & Pray

What are some of the ways God shares his life and love with us?

_____

Jesus, help me to be a sign of God's love in today's world.

Help me to _____

Respondemos y compartimos la fe

Compartiendo lo aprendido

Mira la ilustración. Usala para decir a tu familia lo que aprendiste en este capítulo.

Colorea estos dibujos sobre estos sacramentos.

BAUTISMO

CONFIRMACION

Recuerda

- La Iglesia celebra los sacramentos.
- Bautismo, Confirmación y Eucaristía son los sacramentos de iniciación cristiana.
- Reconciliación y Unción de los Enfermos son los sacramentos de sanación.
- Orden Sagrado y Matrimonio son los sacramentos de servicio a los demás.

NUESTRA VIDA CATOLICA

Mártires de la fe

En 1980 cuatro católicas de Estados Unidos, las hermanas Ita Ford, M.M., Maura Clarke, M.M., Dorothy Kazel, O.S.U. y Jean Donovan fueron asesinadas en el Salvador. Murieron mientras servían a Dios y a la Iglesia. Un Mártir es alguien que muere por su fe. Muchos mártires han sido declarados santos por la Iglesia. Algún día esas cuatro mujeres puede que sean oficialmente declaradas santas por la Iglesia.

Visita Sadlier en

www.CREEMOSweb.com

Conexión con el Catecismo
Para referencia vea los párrafos 1113, 1212, 1421 y 1534.

We Respond and Share the Faith

Sharing What I Learned

Look at the picture. Use it to tell your family what you learned in this chapter.

Color these signs of the sacraments.

BAPTISM

CONFIRMATION

Remember

- The Church celebrates the sacraments.
- Baptism, Confirmation, and Eucharist are the sacraments of Christian initiation.
- Reconciliation and Anointing of the Sick are sacraments of healing.
- Holy Orders and Matrimony are sacraments of service to others.

OUR CATHOLIC LIFE
Martyrs for the Faith

In 1980 four American Catholic women, Sister Ita Ford, M.M., Sister Maura Clarke, M.M., Sister Dorothy Kazel, O.S.U., and Jean Donovan were killed in El Salvador. They died serving God and the Church. A *martyr* is someone who dies for his or her faith. Many martyrs have already been declared saints by the Church. Some day these four women may be officially declared saints, too.

Connect to the Catechism
For adult background and reflection, see paragraphs 1113, 1212, 1421, and 1534.

Visit Sadlier's

www.CREEMOSweb.com

16 Celebración de la Eucaristía: la misa

NOS CONGREGAMOS

Líder: Todo lo bueno que tenemos es un regalo de Dios. Piensa en lo que Dios te ha dado.

Lector: "Den gracias al Señor, porque él es bueno, porque su amor es eterno". (Salmo 118:1)

Todos: Te damos gracias, Señor.

☀ ¿Cuándo celebra tu familia celebran con comidas especiales?

CREEMOS

Jesús celebró la pascua y la última cena.

A través de la historia, el pueblo judío celebraba importantes eventos con comidas especiales. En la fiesta de **Pascua**, el pueblo judío celebra su libertad de la esclavitud de Egipto. Ellos recuerdan que Dios "pasó sobre" las casas del pueblo librándolos del castigo que le daría a los egipcios.

La noche antes de morir, Jesús celebró la comida de pascua con sus discípulos de una nueva manera. Esta comida celebrada por Jesús es llamada la última cena.

📖 Mateo 26:26–28

Mientras Jesús comía con sus discípulos tomó el pan y lo bendijo. El partió el pan y lo dio a sus discípulos diciendo: "Coman, esto es mi cuerpo". (Mateo 26:26)

Celebrating Eucharist: The Mass

WE GATHER

Leader: Everything good that we have is God's gift to us. Think quietly about what God has given you.

Reader: "Give thanks to the LORD, who is good, whose love endures forever." (Psalm 118:1)

All: We thank you, O God!

When have you and your family celebrated special times with special meals?

WE BELIEVE

Jesus celebrated Passover and the Last Supper.

Throughout their history, Jewish people have celebrated important events with special meals. On the feast of **Passover**, the Jewish people celebrate their freedom from slavery in Egypt. They remember that God "passed over" the houses of his people, saving them. They remember that God protected them from the suffering that came to Egypt.

On the night before he died, Jesus celebrated the Passover meal with his disciples in a new way. This meal that Jesus celebrated is called the Last Supper.

Matthew 26:26–28

While Jesus and his disciples ate, Jesus took bread and blessed it. He then broke it and gave it to his disciples saying, "Take and eat; this is my body." (Matthew 26:26)

Después tomó la copa de vino y dio gracias. El paso la copa a sus discípulos diciendo: "Beban todos ustedes de esta copa, porque esto es mi sangre". (Mateo 26:27, 28)

En la última cena Jesús pidió a sus discípulos bendecir y partir el pan en su memoria. El nos dio la **Eucaristía**. La Eucaristía es el sacramento del Cuerpo y la Sangre de Jesús. Durante la celebración de cada Eucaristía, la Iglesia sigue el mandamiento de Jesús: "Hagan esto en memoria de mí". (Lucas 22:19)

La palabra *eucaristía* significa "dar gracias". En la celebración de la Eucaristía, la Iglesia da gracias a Dios por todo lo que nos ha dado.

 ¿Como das gracias a Dios por la Eucaristía?

La misa es un sacrificio y una comida.

El mayor regalo que Dios nos ha dado es su Hijo, Jesús. El mayor regalo de Jesús es dar su vida por nosotros. La Iglesia recuerda la muerte y resurrección de Jesús en la Eucaristía.

La celebración de la Eucaristía es también llamada **misa**. La misa es un sacrificio. Un **sacrifico** es un regalo ofrecido a Dios por un sacerdote en nombre de todo el pueblo. Jesús ofreció el mayor de los sacrificios, su propio cuerpo y sangre en la cruz. Con este sacrificio Jesús nos reconcilia con Dios y nos salva del pecado.

La misa es también una comida. Recordamos lo que Jesús hizo en la última cena. El transformó el pan y el vino en su Cuerpo y Sangre. En la misa recibimos su Cuerpo y Sangre en la comunión. Somos fortalecidos para vivir nuestra fe.

 ¿Qué puedes decir a un niño más pequeño que tú sobre la misa? Escenifícalo con un compañero.

176

Then Jesus took a cup of wine and gave thanks. He gave the cup to his disciples saying, "Drink from it, all of you, for this is my blood." (Matthew 26:27, 28)

At the Last Supper Jesus told his disciples to bless and break bread in his memory. He gave us the Eucharist. The **Eucharist** is the sacrament of Jesus' Body and Blood. At each celebration of the Eucharist, the Church follows Jesus' command to "Do this in memory of me." (Luke 22:19)

The word *eucharist* means "to give thanks." At the celebration of the Eucharist, the Church gives thanks for all that God gives us.

How do you give thanks to God for the Eucharist?

The Mass is a sacrifice and a meal.

The greatest gift God has given to us is his Son, Jesus. Jesus' greatest gift is giving up his life for us. The Church remembers Jesus' death and Resurrection at the Eucharist.

The celebration of the Eucharist is also called the **Mass**. The Mass is a sacrifice. A **sacrifice** is a gift offered to God by a priest in the name of all the people. Jesus offered the greatest sacrifice of all—his own body and blood on the cross. By his sacrifice Jesus reconciles us with God and saves us from sin.

The Mass is also a meal. We remember what Jesus did at the Last Supper. He changed bread and wine into his Body and Blood. At Mass we receive his Body and Blood in Holy Communion. We are strengthened to live out our faith.

What could you tell a younger child about what the Mass is? Act it out with a partner.

Participamos en la misa

La misa es una celebración. Es la mayor alabanza y acción de gracias de la Iglesia. Es importante que todos participemos de esta celebración.

Nos reunimos en asamblea. La **asamblea** es la reunión del pueblo para rendir culto en nombre de Jesucristo.

Todos podemos:

- rezar las respuestas
- cantar alabanzas a Dios
- escuchar las lecturas y la homilía
- rezar por los necesitados de la comunidad
- darnos el saludo de la paz
- recibir la sagrada comunión.

El sacerdote que nos dirige en la misa es llamado *celebrante*. Muchas parroquia tienen diáconos que sirven en la misa. Voluntarios o ujieres nos dan la bienvenida y nos ayudan a encontrar un asiento. Durante la misa recogen nuestras donaciones. Los acólitos ayudan al sacerdote antes, durante y después de la misa.

Los músicos y el coro nos dirigen en los cantos. Los lectores proclaman la Escritura. Miembros de la asamblea presentan las ofrendas de pan y vino. Ministros especiales de la Eucaristía ayudan al sacerdote a dar la comunión.

¿Cómo participas en la misa? Habla sobre algunas formas en que puedes animar a otros a participar en la misa.

We take part in the Mass.

The Mass is a celebration. It is the Church's great prayer of thanksgiving and praise. It is important that each of us participate in the celebration.

We gather as the assembly. The **assembly** is the people gathered to worship in the name of Jesus Christ.

We can all:
- pray the responses
- sing praise to God
- listen to the readings and homily
- pray for needs of the community
- offer the sign of peace to others
- receive Holy Communion.

The priest who leads us at the Mass is called the *celebrant*. Many parishes have deacons who serve at the Mass. Greeters and ushers welcome us and help us to find seats. During the Mass they collect our donations. Altar servers help the priest before, during, and after Mass.

The musicians and choir lead us in singing. The reader proclaims passages from Scripture. Members of the assembly present the gifts of bread and wine. Special ministers of the Eucharist can help the priest give us Holy Communion.

How do you take part in the Mass? Talk about ways you can encourage others to participate in Mass.

As Catholics...

Altar servers are men, women, boys, and girls who serve at the altar. They light the altar candles. They lead the entrance procession at the beginning of Mass. They may help the priest and deacon receive the gifts of bread and wine. They lead everyone out of church at the end of Mass.

Find out how boys and girls can become altar servers.

Días de precepto

**Solemnidad de María,
Madre de Dios**
(1 de enero)

Ascensión
(cuando es celebrada un
jueves durante el tiempo
de Pascua)

Asunción de María
(15 de agosto)

Todos los Santos
(1 de noviembre)

Inmaculada Concepción
(8 de diciembre)

Navidad
(25 de diciembre)

Celebramos la misa todas las semanas.

El domingo es nuestro gran día de fiesta. Es el día en que Jesucristo resucitó de la muerte. La resurrección de Jesús tuvo lugar "el primer día de la semana". (Mateo 28:1)

En nuestras parroquias nos reunimos para la misa todos los domingos o los sábados en la tarde. Adoramos y damos gracias a Dios. La celebración de la Eucaristía es el centro de la vida católica. Es por eso que la Iglesia exige a todo católico asistir a la celebración de la misa todas las semanas. También se nos pide participar en la misa en días especiales llamados *días de precepto*.

Hay muchos otros días de fiesta importantes en la Iglesia. Uno de ellos es el día de nuestra Señora de Guadalupe, que se celebra el 12 de diciembre. En esas fiestas y todos los días del año podemos participar de la Eucaristía.

RESPONDEMOS

Dibuja un cartel invitando a la gente de tu parroquia a participar en la misa.

Vocabulario

Pascua (pp 316)

Eucaristía (pp 315)

misa (pp 316)

sacrificio (pp 317)

asamblea (pp 315)

We celebrate Mass each week.

Sunday is our great holy day. It is the day on which Jesus Christ rose from the dead. The Resurrection of Jesus took place on "the first day of the week." (Matthew 28:1)

In our parishes we come together at Mass each Sunday or Saturday evening. We give praise and thanks to God. Celebrating the Eucharist together is the center of Catholic life. That is why the Church requires all Catholics to take part in the weekly celebration of the Mass. We are also required to participate in Mass on special feasts called *holy days of obligation*.

There are many other important feast days in the Church. One of these is the feast of Our Lady of Guadalupe, which we celebrate on December 12. On these feasts and on every day of the year, we can take part in the Eucharist.

WE RESPOND

 Make a poster inviting people in your parish to take part in the Mass.

Key Words

Passover (p. 320)

Eucharist (p. 318)

Mass (p. 319)

sacrifice (p. 320)

assembly (p. 318)

Holy Days of Obligation

Solemnity of Mary, Mother of God
(January 1)

Ascension
(when celebrated on Thursday during the Easter season)

Assumption of Mary
(August 15)

All Saints' Day
(November 1)

Immaculate Conception
(December 8)

Christmas
(December 25)

Repaso

Repaso

Capítulo 16

Escribe la respuesta a estas preguntas.

1. ¿Qué fiesta judía celebró Jesús en la última cena?

2. ¿Cómo llamamos al sacramento del Cuerpo y la Sangre de Cristo?

3. Además de un sacrificio, ¿qué más es la misa?

4. ¿Cómo llamamos a las personas que se reúnen, en nombre de Cristo, para rendir culto, o adorar?

5. ¿Por qué los católicos celebran la misa los domingos o los sábados en la tarde?

Reflexiona y ora

Jesús está presente en la misa. ¿Qué significa esto para ti?

182

Write the answer to each question.

1. What Jewish feast did Jesus celebrate at the Last Supper?

_____

2. What do we call the sacrament of the Body and Blood of Christ?

_____

3. The Mass is a meal. What else is it?

_____

4. What do we call the people gathered to worship in the name of Jesus Christ?

_____

5. Why do Catholics celebrate Mass each Sunday or Saturday evening?

_____

_____

Reflect & Pray

Jesus is present to us at the Mass. What does this mean to you?

_____

_____

_____

Respondemos y compartimos la fe

Compartiendo lo aprendido

Mira la ilustración. Usala para decir a tu familia lo que aprendiste en este capítulo.

Colorea este dibujo del sacramento.

EUCARISTIA

Recuerda

- Jesús celebró la Pascua y la última cena.
- La misa es un sacrificio y una comida.
- Participamos en la misa.
- Celebramos la misa todas las semanas.

NUESTRA VIDA CATOLICA

Nuestra contribución cuenta

Los católicos siempre han dado dinero para cubrir las necesidades de la Iglesia y de los pobres. En la misa nuestras donaciones se recogen durante la preparación de las ofrendas. El dinero que se recoge ayuda a la parroquia a cubrir sus necesidades. También se usa para ayudar a otros en necesidad, por ejemplo: los enfermos y las víctimas de desastres naturales.

Conexión con el Catecismo
Para referencia vea los párrafos 1340, 1323, 1348 y 1343.

We Respond and Share the Faith

Sharing What I Learned

Look at the picture. Use it to tell your family what you learned in this chapter.

Color this sign of the sacrament.

EUCHARIST

Remember

- Jesus celebrated Passover and the Last Supper.
- The Mass is a sacrifice and a meal.
- We take part in the Mass.
- We celebrate Mass each week.

OUR CATHOLIC LIFE
Our Contributions Count

Catholics have always given money for the needs of the Church and the poor. At Mass our donations are collected during the preparation of the gifts. The money collected helps the parish meet its needs. It also is used to help others in need: for example, those who are sick or those who are victims of earthquakes, fires, or floods.

Connect to the Catechism
For adult background and reflection, see paragraphs 1340, 1323, 1348, and 1343.

Visit Sadlier's
www.CREEMOSweb.com

NOS CONGREGAMOS

✝ **Líder:** Vamos a orar cantando.

🎵 **Creo en Jesús**

Creo en Jesús, creo en Jesús,
El es mi amigo,
es mi alegría,
El es mi amor;
creo en Jesús, creo en Jesús,
El es mi Salvador.

Líder: Jesús, gracias por tu presencia en nuestras vidas.

Todos: Ahora y siempre, Señor.

☀ ¿Qué cosas estás dispuesto a hacer? ¿Cómo te preparas?

CREEMOS

Nos reunimos para adorar a Dios.

La primera parte de la misa se llama Ritos Iniciales. En los **Ritos Iniciales** nos reunimos para prepararnos para escuchar la palabra de Dios y celebrar la Eucaristía.

Nos reunimos como miembros de la Iglesia, el cuerpo de Cristo. Cantamos una canción de entrada para alabar a Dios. Después el sacerdote nos da la bienvenida como pueblo de Dios. Junto con el sacerdote hacemos la señal de la cruz. El sacerdote nos recuerda que Jesús está presente entre nosotros.

We Worship at Mass

WE GATHER

✝ **Leader:** Let us pray by singing.

🎵 **Jesus, We Believe in You**

Chorus
Jesus, we believe in you;
we believe that you are with us.
Jesus, we believe in you;
we believe that you are here.

We believe that you are present with us here
as we gather in your name. (Chorus)

Leader: Jesus, thank you for your presence
in our lives,

All: today and always. Amen.

☀ What are some things you get ready for?
How do you prepare?

WE BELIEVE

We gather to praise God.

The first part of the Mass is called the Introductory
Rites. In the **Introductory Rites** we become one
as we prepare to listen to God's word and to
celebrate the Eucharist.

We gather together as members of the Church, the
Body of Christ. We sing an opening song of praise to
God. Then the priest welcomes us as God's people.
With the priest we make the sign of the cross. The
priest reminds us that Jesus is present among us.

El sacerdote nos invita a recordar que necesitamos el perdón de Dios. Pensamos en las veces que hemos pecado. Le decimos a Dios que estamos arrepentidos y le pedimos perdón.

En la mayoría de los domingos del año, cantamos el "Gloria". Alabamos a Dios y lo bendecimos por su gran amor y cuidado. Este himno de alabanza se inicia con: "Gloria a Dios en el cielo".

Lectura bíblica

🏃 Piensa en la celebración de la misa en tu parroquia la semana pasada. Junto con un compañero hablen sobre lo que pasó en los Ritos Iniciales.

Escuchamos la palabra de Dios.

La **Liturgia de la Palabra** es la parte de la misa en que escuchamos y respondemos a la palabra de Dios.

Los domingos y otros días especiales, se hacen tres lecturas de la Escritura. La primera lectura es tomada del Antiguo Testamento. Después de esta lectura cantamos o rezamos un salmo también tomado del Antiguo Testamento. La segunda lectura es tomada del Nuevo Testamento. Los lectores terminan la primera y la segunda lecturas con: "Palabra de Dios". Respondemos: "Te alabamos, Señor".

La tercera lectura es tomada de los evangelios, Mateo, Marcos, Lucas y Juan. La lectura del evangelio es muy especial. Escuchamos sobre la vida y enseñanzas de Jesús.

El evangelio

Antes de la lectura del evangelio mostramos que estamos listos para escuchar la buena nueva de Jesucristo. Nos ponemos de pie y cantamos aleluya. El diácono o el sacerdote proclama el evangelio. Proclamar el evangelio quiere decir anunciar la buena nueva con alabanza y gloria. Al final de la lectura el diácono o el sacerdote dice: "Palabra del Señor". Contestamos: "Gloria a ti, Señor Jesús".

Profession of Faith

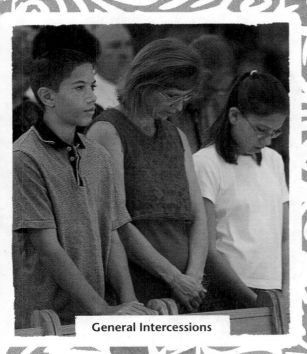
General Intercessions

The priest invites us to remember that we need God's forgiveness. We think about the times that we might have sinned. We tell God that we are sorry and ask for forgiveness.

On most Sundays of the year, we sing or say the "Gloria." We praise and bless God for his great love and care. This hymn of praise begins with: "Glory to God in the highest."

Think about your parish's celebration of the Mass last week. With a partner talk about what happened in the Introductory Rites.

We listen to God's word.

The **Liturgy of the Word** is the part of the Mass when we listen and respond to God's word.

On Sundays and other special days, there are three readings from Scripture. The first reading is usually from the Old Testament. After this reading we sing or say a psalm from the Old Testament. Then the second reading is from the New Testament. The readers end the first and second readings with: "The word of the Lord." We respond: "Thanks be to God."

The third reading is from one of the four gospels: Matthew, Mark, Luke, or John. The gospel reading is very special. We hear about the life and teachings of Jesus.

Before the gospel reading we show we are ready to hear the good news of Jesus Christ. We do this by standing and singing the Alleluia. The deacon or priest then proclaims the gospel. To proclaim the gospel means to announce the good news with praise and glory. At the end of the gospel the deacon or priest says: "The Gospel of the Lord." We respond: "Praise to you, Lord Jesus Christ."

Después de la lectura del evangelio el sacerdote o el diácono da una homilía. La homilía nos ayuda a entender el significado de las tres lecturas en nuestras vidas. Después nos ponemos de pie y confirmamos nuestras creencias en Dios recitando el credo.

En las *intercesiones generales*, llamadas también oración de los fieles, rezamos por la Iglesia en nuestro mundo. Pedimos a Dios que ayude a nuestros líderes, a nuestras familias y a nuestros amigos, por los enfermos, los necesitados y los que han muerto.

¿Por quién rezarás en la misa esta semana? Escribe tu oración aquí.

Recibimos a Jesucristo.

Durante la Liturgia de la Eucaristía el pan y el vino se convierten en el Cuerpo y la Sangre de Cristo, que recibimos en la comunión. El altar se prepara para esta parte de la misa. Los miembros de la asamblea llevan sus ofrendas de pan y vino y nuestros regalos para la Iglesia y los pobres.

El sacerdote pide a Dios que bendiga y acepte los regalos que ofrecemos. También ofrece nuestras vidas a Dios. Ahí empieza la *oración eucarística*. Esta es la mayor oración de alabanza y acción de gracias. El sacerdote reza esta oración al Padre en nuestro nombre por medio de Jesucristo. Por medio de esta oración nos unimos con Cristo.

El sacerdote recuerda todo lo que Dios ha hecho por nosotros. Cantamos: "Santo, Santo, Santo".

El sacerdote dice y hace lo que Jesús dijo e hizo en la última cena. Por medio de estas palabras y las acciones del sacerdote, por el poder del Espíritu Santo, el pan y el vino se convierten en el Cuerpo y la Sangre de Cristo. Esta parte de la oración eucarística es llamada *consagración*. Jesús está verdaderamente presente en la Eucaristía. Esto es llamado *presencia real*.

After the gospel reading, the priest or deacon gives the homily. The homily helps us to understand what the three readings mean in our lives. Then we all stand and state our belief in God by saying the creed.

In the *general intercessions*, also called the prayer of the faithful, we pray for our Church and our world. We ask God to help our leaders, our family and friends, all those who are sick and in need, and all those who have died.

🏃 Who would you like to pray for at Mass this week? Write a prayer for them here.

We receive Jesus Christ.

During the **Liturgy of the Eucharist** the bread and wine become the Body and Blood of Christ, which we receive in Holy Communion. The altar is prepared for this part of the Mass. Members of the assembly bring forward our gifts of bread and wine and our gifts for the church and the poor.

The priest then asks God to bless and accept the gifts we will offer. We also offer our whole lives to God. Now the *eucharistic prayer* begins. It is the great prayer of praise and thanksgiving. The priest prays this prayer in our name to the Father through Jesus Christ. Through this prayer we are united with Jesus Christ.

The priest recalls all that God has done for us. We sing a song that begins: "Holy, holy, holy Lord."

The priest then says and does what Jesus said and did at the Last Supper. Through these words and actions of the priest, by the power of the Holy Spirit, the bread and wine become the Body and Blood of Christ. This part of the eucharistic prayer is called the *consecration*. Jesus is truly present in the Eucharist. This is called the *real presence*.

Vocabulario

Ritos Iniciales (pp 317)

Liturgia de la Palabra (pp 316)

Liturgia de la Eucaristía (pp 316)

Rito de Conclusión (pp 317)

Al final de la oración eucarística, decimos o cantamos "Amén". Juntos estamos diciendo "sí, creemos".

La siguiente oración es el Padrenuestro. Nos damos el saludo de la paz. El sacerdote parte la Hostia mientras decimos o cantamos el "Cordero de Dios".

Después todos vamos a recibir la comunión. Cantamos al ir a recibir para mostrar nuestra unidad. Después de la comunión nos sentamos en silencio.

 En grupos conversen sobre las formas en que podemos mostrar que estamos unidos a Cristo y unos a otros.

Vamos en paz a amar y a servir al Señor.

Cuando termina la misa somos animados a compartir la buena nueva de Jesús con otros. La última parte de la misa se llama Ritos de conclusión. El Rito de Conclusión nos recuerda continuar alabando y sirviendo a Dios cada día.

El sacerdote dice la oración de gracia final por la Eucaristía celebrada. Nos bendice y hacemos la señal de la cruz. Después el sacerdote o el diácono, en nombre de Jesús, nos envía. El dice: "Podéis ir en paz". Contestamos: "Demos gracias a Dios".

Salimos de la iglesia cantando. Con la ayuda del Espíritu Santo, tratamos de ayudar a los necesitados. Hacemos lo que podemos para hacer de nuestro mundo un mejor lugar para vivir.

RESPONDEMOS

 ¿Cómo puedes amar y servir a los otros en estas situaciones?

• Un miembro de tu familia está cansado.

_____

• Están molestando a un compañero.

At the end of the eucharistic prayer, we say or sing "Amen." Together we are saying "Yes, we believe."

Next we pray together the Lord's Prayer, the Our Father. We offer one another a sign of peace to one another. The priest then breaks the Bread while the "Lamb of God" prayer is sung.

Then we all come forward to receive Holy Communion. We sing to show our unity with one another. After Communion we all sit in silence.

 In groups talk about ways we are united to Christ and one another.

We go out to love and serve the Lord.

As the Mass ends we are encouraged to share the good news of Jesus with others. The last part of the Mass is the Concluding Rite. The **Concluding Rite** reminds us to continue praising and serving God each day.

The priest says a final prayer thanking God for the Eucharist we have celebrated. He blesses us, and we make the sign of the cross. Then the priest or deacon, in Jesus' name, sends us out by saying, "Go in peace to love and serve the Lord." We answer, "Thanks be to God."

We leave the church singing. With the help of the Holy Spirit, we try to help people who are in need. We do what we can to make our world a more loving and peaceful place.

WE RESPOND

 How could we love and serve others in these situations?

• A family member is really tired.

_____

• A classmate is being "picked on."

_____

As Catholics...

After Holy Communion, the remaining consecrated Bread, or Hosts, are put in a special place in the Church called the *tabernacle*. The Eucharist in the tabernacle is known as the *Blessed Sacrament*. The Blessed Sacrament can be taken to people who are dying and to those who are sick.

Jesus Christ is truly present in the Blessed Sacrament. Catholics honor Jesus' real presence by praying before the Blessed Sacrament.

The next time you are in church, kneel and pray to Jesus in the Blessed Sacrament.

Key Words

Introductory Rites (p. 319)

Liturgy of the Word (p. 319)

Liturgy of the Eucharist (p. 319)

Concluding Rite (p. 318)

Escribe V si la oración es verdadera y F si es falsa.

1. La primera parte de la misa es llamada Liturgia de la Palabra. _____

2. Aprendemos sobre la vida y las enseñanzas de Jesús en la lectura del evangelio. _____

3. La Liturgia de la Eucaristía nos prepara para escuchar la palabra de Dios. _____

4. El Rito de Conclusión nos recuerda seguir alabando y sirviendo a Dios y a su pueblo todos los días. _____

Contesta la siguiente pregunta.

5. ¿Cómo vivimos la misa durante toda la semana?

_____

_____

Reflexiona y ora

Al final de la misa somos enviados a amar y a servir. ¿Qué

significa esto para ti? _____

Completa esta oración.

Jesús, creo en ti y _____

_____

Write T if the sentence is true. Write F if the sentence is false.

1. The first part of the Mass is called the Liturgy of the Word.   _____

2. We learn about the life and teachings of Jesus in the gospel reading.   _____

3. The Liturgy of the Eucharist gets us ready to listen to God's word.   _____

4. The Concluding Rite reminds us to continue to praise God and to serve God and his people each day.   _____

Answer the question.

5. How do we live out the Mass all through the week?

_____

_____

Reflect & Pray

At the end of Mass, we are sent out to love and serve. What does

this mean to you? _____

Complete this prayer.

Jesus, I believe in you and _____

_____

Respondemos y compartimos la fe

Compartiendo lo aprendido

Mira la ilustración. Usala para decir a tu familia lo que aprendiste en este capítulo.

Colorea estos dibujos sobre los sacramentos.

ORDEN SAGRADO

MATRIMONIO

Recuerda

- Nos reunimos para adorar a Dios.
- Escuchamos la palabra de Dios.
- Recibimos a Jesucristo.
- Vamos en paz a amar y a servir al Señor.

NUESTRA VIDA CATÓLICA

Santa Catalina Drexel

Catalina Drexel decidió usar su herencia para ayudar a otros. Trabajó para que los nativos y los negros en Estados Unidos tuvieran los mismos derechos que los blancos. En 1891, fundó una comunidad religiosa llamada Hermanas del Santísimo Sacramento. Por sus esfuerzos y el de sus hermanas, hoy muchos nativos y negros son católicos.

Visita Sadlier en

www.CREEMOSweb.com

Conexión con el Catecismo
Para referencia vea los párrafos 1359, 1349, 1335 y 1694.

We Respond and Share the Faith

Sharing What I Learned

Look at the picture. Use it to tell your family what you learned in this chapter.

Color these signs of the sacraments.

HOLY ORDERS

MATRIMONY

Remember

- We gather to praise God.
- We listen to God's word.
- We receive Jesus Christ.
- We go out to love and serve the Lord.

OUR CATHOLIC LIFE

Saint Katharine Drexel

Katharine Drexel decided to use her inheritance to help others. She worked for the equal rights of Native Americans and African Americans. In 1891, Katharine started a religious community called the Sisters of the Blessed Sacrament. Because of the efforts of Katharine and her sisters, many Native Americans and African Americans are active members of the Church today.

 Connect to the Catechism
For adult background and reflection, see paragraphs 1359, 1349, 1355, and 1694.

Visit Sadlier's

www.CREEMOSweb.com

NOS CONGREGAMOS

✝ **Líder:** Vamos a pensar en los últimos días. Algunas veces nuestras acciones y palabras no muestran amor. ¿Cómo has actuado? Vamos a rezar un acto de contrición.

Todos: Dios mío,
con todo mi corazón me arrepiento
de todo el mal que he hecho
y de todo lo bueno que he dejado de hacer.
Al pecar, te he ofendido a ti,
que eres el supremo bien
y digno de ser amado sobre todas las cosas.
Propongo firmemente, con la ayuda de tu gracia,
hacer penitencia, no volver a pecar y huir de las
ocasiones de pecado.
Señor, por los méritos de la pasión de nuestro
Salvador Jesucristo,
apiádate de mí. Amén.

 Piensa en una decisión importante que tomaste. ¿Qué pensaste antes de tomarla? ¿Cómo sabes que fue correcta?

CREEMOS

Escogemos amar a Dios.

Dios quiere que lo amemos, nos amemos nosotros mismos y amemos a los demás. Esta es la ley de Dios. Cuando vivimos de acuerdo a los Diez Mandamientos y seguimos el ejemplo de Jesús, obedecemos la ley de Dios.

Sin embargo, hay veces que no vivimos como Jesús quiere que vivamos. Libremente escogemos hacer lo que sabemos está mal. Pecamos. **Pecado** es un pensamiento, palabra o acción contra la ley de Dios. El pecado es siempre una decisión. Es por eso que los errores y accidentes no son pecados.

Celebrating Penance and Reconciliation

WE GATHER

 Leader: Sit quietly. Think about the last few days. Sometimes our actions and words do not show love. How have you acted? Let us pray an act of contrition.

All: My God,
I am sorry for my sins with all my heart.
In choosing to do wrong
and failing to do good,
I have sinned against you
whom I should love above all things.
I firmly intend, with your help,
to do penance,
to sin no more,
and to avoid whatever leads me to sin.
Our Savior Jesus Christ
suffered and died for us.
In his name, my God, have mercy.

Think about an important choice you had to make. What did you think about before choosing? How did you know whether you made the right choice?

WE BELIEVE

We make the choice to love God.

God wants us to love him, ourselves, and others. This is God's law. When we live by the Ten Commandments and follow Jesus' example we obey God's law.

However, there are times we do not live the way Jesus wants us to live. We freely choose to do what we know is wrong. We commit a sin. **Sin** is a thought, word, or action that is against God's law. Sin is always a choice. That is why mistakes and accidents are not sins.

199

Algunos pecados son muy serios. Esos pecados son mortales. Un *pecado mortal* es algo: verdaderamente malo, que sabemos que es malo, y que libremente escogemos hacerlo.

Los que cometen pecado mortal se alejan completamente del amor de Dios. Escogen romper su amistad con Dios. Pierden el don de la gracia, dejan de compartir en la vida y el amor de Dios.

No todos los pecados son mortales. Pecados que no son muy serios son llamados *veniales*. Los que comenten pecados veniales hieren su relación con Dios. Sin embargo, comparten el amor y la vida de Dios.

 ¿Cómo puedes mostrar que has elegido amar a Dios?

Dios es nuestro Padre misericordioso.

Jesús contó esta historia para mostrarnos que Dios es un padre amoroso. Él está siempre dispuesto a perdonarnos cuando estamos arrepentidos.

📖 Lucas 15:11–32

Un hombre muy rico tenía dos hijos. Uno le pidió su herencia. Él quería irse de la casa y divertirse. Su padre se puso muy triste pero le dio el dinero.

El hijo se fue lejos y empezó a gastar su dinero. Lo gastó en varias cosas. Muy pronto se le acabó.

El hijo se quedó pobre, sucio, con hambre y sin amigos. Pensó en su padre y su casa. Decidió volver a su casa y decir a su padre que estaba arrepentido.

Cuando el padre vio a su hijo se puso muy contento. El padre corrió y lo abrazó. El hijo le dijo: "Padre mío, he pecado contra Dios y contra ti; ya no merezco llamarme tu hijo". (Lucas 15:21)

Pero el padre quería que todo el mundo supiera que su hijo había regresado a casa. El padre llamó a sus sirvientes: "¡Vamos a comer y a hacer fiesta!" (Lucas 15:23)

Recibimos el perdón de Dios por medio de la Iglesia. Nuestra relación con Dios y la Iglesia se fortalece por medio del sacramento de la Reconciliación.

 Habla sobre una ocasión en que algunas personas se perdonaron.

Some sins are very serious. These serious sins are mortal sins. A *mortal sin* is: very seriously wrong, known to be wrong, and freely chosen.

People who commit mortal sin turn away completely from God's love. They choose to break their friendship with God. They lose the gift of grace, their share in God's life and love.

Not all sins are mortal sins. Sins that are less serious are *venial sins*. People who commit venial sins hurt their friendship with God. Yet they still share in God's life and love.

 Write ways that show you have chosen to love God.

God is our forgiving Father.

Jesus told this story to show that God is our loving father. He is always ready to forgive us when we are sorry.

 Luke 15:11–32

A rich man had two sons. One son wanted his share of the father's money. He wanted to leave home and have some fun. His father was sad, but he let his son have the money.

The son went away and began to spend his money. He used his money on all kinds of things. Soon all his money was gone.

The son found himself poor, dirty, hungry, and without friends. He thought about his father and his home. He decided to go home and tell his father that he was sorry.

When the father saw his son, he was so happy. The father rushed out and hugged him. The son said, "Father, I have sinned against heaven and against you; I no longer deserve to be called your son." (Luke 15:21)

But the father wanted everyone to know his son had come home. The father shouted to his servants, "Let us celebrate with a feast." (Luke 15:23)

We receive God's forgiveness through the Church. Our relationship with God and the Church is made strong through the sacrament of Reconciliation.

 Talk about some times people forgive each other.

El sacramento de la Reconciliación tiene varias partes.

Examinar nuestra conciencia es el primer paso en la preparación para el sacramento de la Reconciliación. Nuestra **conciencia** es el don de Dios que nos ayuda a saber lo que está bien y lo que está mal.

Cuando examinamos nuestra conciencia, nos preguntamos si hemos amado a Dios, a nosotros mismos y a los demás. Pensamos en cosas que hemos hecho y si fueron malas o buenas. Este examen de conciencia nos ayuda a conocer y a arrepentirnos de nuestros pecados.

Contrición, confesión, penitencia y absolución siempre forman parte del sacramento de la Reconciliación.

Contrición es arrepentirnos de nuestros pecados y firmemente proponernos no pecar más. *Confesión* es decir nuestros pecados al sacerdote. El sacerdote puede hablarnos sobre como podemos amar a Dios y a los demás.

Penitencia es una oración o acción para mostrar que estamos arrepentidos de nuestros pecados. Aceptar la penitencia muestra que estamos dispuestos a cambiar nuestra forma de vida. La *absolución* es el perdón de Dios de nuestros pecados por medio de las acciones y palabras del sacerdote. El sacerdote extiende su mano y nos perdona. El termina diciendo: "Por el ministerio de la Iglesia que Dios te perdone y te de paz, y yo te absuelvo de tus pecados, en el nombre del Padre, y del Hijo, y del Espíritu Santo".

🏃 Escribe una razón por la que la Iglesia celebra el sacramento de la Reconciliación.

Para pedir perdón a Dios

Muchas parroquias tienen un espacio designado para celebrar el sacramento de la Reconciliación. Este lugar especial es donde te reúnes con el sacerdote para la confesión y la absolución individual. Puedes escoger como quieres hablar con el sacerdote. Puedes sentarte y hablar con él cara a cara o arrodillarte detrás de la rejilla.

En tu parroquia, ¿dónde celebras el sacramento de la Reconciliación?

•contrición•

•confesión•

The sacrament of Reconciliation has several parts.

Examining our conscience is the first step in preparing for the sacrament of Reconciliation. Our **conscience** is God's gift that helps us know right from wrong.

When we examine our conscience, we ask ourselves whether or not we have loved God, others, and ourselves. We think about the things we have done and whether they were right or wrong. This examination of conscience helps us to know and to be sorry for our sins.

Contrition, confession, penance, and absolution are always part of the sacrament of Reconciliation.

Contrition is being sorry for our sins and firmly intending not to sin again. *Confession* is telling our sins to the priest. The priest may talk to us about the way we can love God and others.

A *penance* is a prayer or action that shows we are sorry for our sins. Accepting the penance shows that we are willing to change the way that we live. *Absolution* is God's forgiveness of our sins through the actions and words of the priest. The priest extends his hand and forgives us. He ends by saying,

"Through the ministry of the Church may God give you pardon and peace, and I absolve you from your sins in the name of the Father, and of the Son, † and of the Holy Spirit."

Write one reason why the Church celebrates the sacrament of Reconciliation.

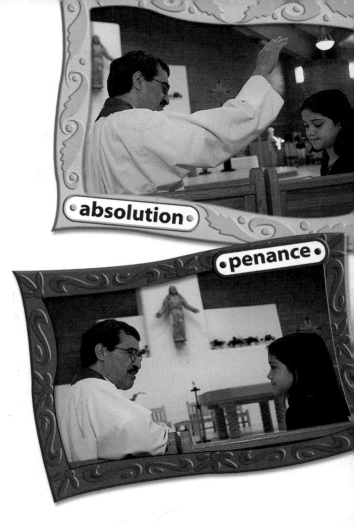

absolution

penance

As Catholics...

Many parishes have a separate space for celebrating the sacrament of Reconciliation. This is a special place where you meet the priest for individual confession and absolution. You can choose how you want to talk with the priest. You can sit and talk to him face-to-face or kneel behind a screen.

In your parish, where do you celebrate the sacrament of Reconciliation?

La Iglesia celebra el sacramento de la Reconciliación.

El sacramento de la Reconciliación es una celebración del amor y el perdón de Dios. He aquí dos formas en que la Iglesia celebra el sacramento de la Reconciliación.

Celebrando con la comunidad

Cantamos un himno y el sacerdote nos saluda y hace una oración.

Escuchamos una lectura de la Biblia y una homilía.

Examinamos nuestra conciencia y rezamos un acto de contrición. Rezamos el Padrenuestro.

Nos reunimos individualmente con el sacerdote y confesamos nuestros pecados. El sacerdote nos habla sobre como amar a Dios y a los demás. El nos da una penitencia.

El sacerdote extiende su mano y nos da la absolución.

Después el sacerdote se reúne con los participantes, juntos concluyen la celebración. El sacerdote nos bendice y nos vamos con la paz y el gozo de Cristo.

Celebración individual

El sacerdote me saluda. Hago la señal de la cruz.

El sacerdote puede leer algo de la Biblia.

Me reúno con el sacerdote y confieso mis pecados. El sacerdote me habla sobre amar a Dios y a los demás. El me da una penitencia.

Rezo un acto de contrición.

El sacerdote extiende su mano y me da la absolución.

Juntos, el sacerdote y yo, damos gracias a Dios por su perdón.

RESPONDEMOS

 ¿Cómo puedes agradecer a Dios su perdón después de celebrar el sacramento de la Reconciliación?

Vocabulario
pecado (pp 317)

conciencia (pp 315)

The Church celebrates the sacrament of Reconciliation.

The sacrament of Reconciliation is a celebration of God's love and forgiveness. Here are two ways the Church celebrates the sacrament of Reconciliation.

Celebrating with the Community

We sing an opening hymn and the priest greets us and prays an opening prayer.

We listen to a reading from the Bible and a homily.

We examine our conscience and pray an act of contrition. We pray the Our Father.

I meet individually with the priest and confess my sins. The priest talks to me about loving God and others. He gives me a penance.

The priest extends his hand and gives me absolution.

After everyone has met with the priest, we join together to conclude the celebration. The priest blesses us, and we go in the peace and joy of Christ.

Celebrating Individually

The priest greets me. I make the sign of the cross.

The priest or I may read something from the Bible.

I meet individually with the priest and confess my sins. The priest talks to me about loving God and others. He gives me a penance.

I pray an act of contrition.

The priest extends his hand and gives me absolution.

Together the priest and I give thanks to God for his forgiveness.

WE RESPOND

 How can you thank God for his forgiveness after celebrating the sacrament of Reconciliation?

Key Words

sin (p. 320)

conscience (p. 318)

Repaso

Capítulo 18

Aparea las palabras de la columna A con la descripción correcta en la columna B.

A		B
1. pecado	4	decir nuestros pecados al sacerdote
2. contrición	2	arrepentirse de los pecados y prometer no pecar más.
3. penitencia	1	libremente escoger hacer lo que sabemos está mal
4. confesión	3	algo que hacemos para mostrar que estamos arrepentidos de nuestros pecados

Contesta la siguiente pregunta.

5. En el sacramento de la Reconciliación, ¿cómo recibimos la absolución?

El saserdote levanta
su mano solusion

Reflexiona y ora

Tenemos que tomar muchas decisiones en nuestra vida. ¿Cómo tus decisiones muestran que amas a Dios y a los demás?

_____

Jesús, tu perdón me ayuda a _____

Match the words in column A to the correct descriptions in column B.

A	B
1. sin	_____ telling our sins to a priest
2. contrition	_____ being sorry for our sins and intending not to sin again
3. penance	_____ freely choose to do what we know is wrong
4. confession	_____ something we do to show we are sorry for our sins

Answer the question.

5. In the sacrament of Reconciliation, how do we receive absolution?

_____

_____

Reflect & Pray

There are many choices that I have to make in my life. How do the choices that I make show my love for God and others?

_____

Jesus, your forgiveness helps me _____

Respondemos y compartimos la fe

Compartiendo lo aprendido

Mira la ilustración. Usala para decir a tu familia lo que aprendiste en este capítulo.

Colorea este dibujo del sacramento.

RECONCILIACIÓN

Recuerda

- Escogemos amar a Dios.
- Dios es nuestro padre misericordioso.
- El sacramento de la Reconciliación tiene varias partes.
- La Iglesia celebra el sacramento de la Reconciliación.

NUESTRA VIDA CATOLICA

Perdón

En 1980, el Papa Juan Pablo II escribió una carta a toda la Iglesia. Esta recordaba al pueblo que Dios es misericordioso y perdona. Seis meses más tarde, el Papa estuvo a punto de ser asesinado. A pesar de que fue seriamente herido, públicamente perdonó a su atacante. Más tarde lo visitó en la cárcel. El Papa perdonó personalmente a quien trató de matarlo. Este es un ejemplo para nosotros. Debemos perdonar a los que nos ofenden.

 Conexión con el Catecismo
Para referencia vea los párrafos 1428, 1439, 1450–1460 y 1469.

We Respond and Share the Faith

Sharing What I Learned

Look at the picture. Use it to tell your family what you learned in this chapter.

Color this sign of the sacrament.

RECONCILIATION

Remember

- We make the choice to love God.
- God is our forgiving Father.
- The sacrament of Reconciliation has several parts.
- The Church celebrates the sacrament of Reconciliation.

OUR CATHOLIC LIFE
Forgiveness

In 1980, Pope John Paul II wrote a letter to the whole Church. This letter reminded people that God is merciful and forgiving. Six months later, the pope was shot and nearly killed. Although he was seriously wounded, he publicly forgave his attacker. Later the pope visited him in prison. The pope personally forgave the man who had tried to kill him. This is an example to all of us. We are called to forgive those who hurt us.

Connect to the Catechism
For adult background and reflection, see paragraphs 1428, 1439, 1450–1460, and 1469.

Visit Sadlier's
www.CREEMOSweb.com

NOS CONGREGAMOS

✟ **Líder**: Jesús pidió al pueblo creer en él. El sanó a los que tenían fe en él. Vamos a regocijarnos y a cantar esta canción:

🎵 **Bienaventurados**

Bienaventurados, pobres de la tierra,
porque de ustedes es el reino de Dios.
Bienaventurados los que pasan hambre,
los que lloran sangre por amor a Dios.

Alégrense y llénense de gozo,
porque les esperan maravillas en el cielo.
Alégrense y llénense de gozo,
bienaventurados serán.

Piensa en una vez en que te sentiste mal o desanimado. ¿Quién te ayudó? ¿Cómo te sentiste después que te ayudaron?

CREEMOS

Jesús cuidó y sanó a los enfermos.

Jesús cuidó a todo el mundo. Los enfermos, los que no tenían que comer; los pobres y los necesitados todos lo buscaban y Jesús los consolaba. Algunas veces curó sus enfermedades. El les dio una razón para esperar por el amor y cuidado de Dios.

WE GATHER

✝ **Leader:** Jesus asked people to believe in him. He healed those who had faith in him. Let us rejoice and sing this song.

🎵 **Walking Up to Jesus**

So many people in the house with Jesus,
People, people, people come to see him!

Jesus looked, and said to the man
    who could not walk:
"Get up now. You are healed.
    You can walk!"
And all at once the man jumped up
    and everyone said, "OH!"

For he was walking in the house
    with Jesus,
Walking, walking,
    walking up to Jesus!

☀ Think of a time when you felt hurt or sick. Who helped you? How did you feel after they helped you?

WE BELIEVE

Jesus cared for and healed the sick.

Jesus cared for all people. When those who were sick, hungry, poor, or in need reached out to him, Jesus comforted them. Sometimes he cured them of their illnesses. He gave them a reason to hope in God's love and care.

📖 Marcos 10:46–52

Jesús salía de un pueblo con sus discípulos y una multitud los seguía. Un ciego llamado Bartimeo estaba sentado a la vera del camino. El pidió a Jesús que tuviera piedad de él. La gente en la multitud le dijo a Bartimeo que se callara. Pero el seguía llamando a Jesús.

"Jesús se detuvo y dijo: ´Llámenlo´. Llamaron al ciego, diciéndole: ´Animo, levántate; te está llamando´. El ciego arrojó su capa, y dando un salto se acercó a Jesús, que le preguntó: ´¿Qué quieres que haga por ti?´ El ciego le contestó: ´Maestro, quiero recobrar la vista´. Jesús le dijo: ´puedes irte, por tu fe has sido sanado´. En aquel mismo instante el ciego recobró la vista, y siguió a Jesús por el camino". (Marcos 10:49–52)

Jesús escuchó a la gente que necesitaba su ayuda. Jesús con frecuencia visitó los hogares de los enfermos. Dondequiera que iba la gente le pedía ayuda y que los sanara.

Jesús quiere consolarnos y darnos su paz. No importa cuales sean nuestras necesidades, Jesús nos da su esperanza y el gozo de su amor.

🏃 Escenifica la historia bíblica.

La Iglesia sana en nombre de Jesús.

Hoy la Iglesia sigue la misión sanadora de Jesús. Una de las formas más importantes es en el sacramento de Unción de los enfermos. Con este sacramento los enfermos reciben la gracia y el consuelo de Dios. El Espíritu Santo los ayuda a confiar en el amor de Dios. El Espíritu Santo los ayuda a recordar que Dios está siempre con ellos.

Cualquier católico seriamente enfermo puede recibir el sacramento de Unción de los enfermos. Los que están en peligro de muerte, por ejemplo, o los que van a tener una operación mayor se les recomienda celebrar este sacramento.

Mark 10:46–52

Jesus was leaving a town with his disciples and a large crowd. A blind man named Bartimaeus was sitting by the side of the road. He called out to Jesus to have pity on him. People in the crowd told Bartimaeus to be quiet. But he kept calling out to Jesus anyway.

"Jesus stopped and said, 'Call him.' So they called the blind man, saying to him, 'Take courage; get up, he is calling you.' He threw aside his cloak, sprang up, and came to Jesus. Jesus said to him in reply, 'What do you want me to do for you?' The blind man replied to him, 'Master, I want to see.' Jesus told him, 'Go your way; your faith has saved you.' Immediately he received his sight and followed him on the way." (Mark 10:49–52)

Jesus listened to people who needed his help. Jesus often visited the homes of people who were sick. Wherever he went people asked Jesus to help and to heal them.

Jesus wants us to have his comfort and peace, too. No matter what our needs are Jesus gives us hope and the joy of his love.

 Act out this gospel story.

The Church heals us in Jesus' name.

Today the Church carries on Jesus' healing work. One of the most important ways is in the sacrament of the Anointing of the Sick. Through the sacrament those who are sick receive God's grace and comfort. The Holy Spirit helps them to trust in God's love. The Holy Spirit helps them to remember that God is always with them.

Any Catholic who is seriously ill may receive the Anointing of the Sick. Those in danger of death, for example, or those about to have a major operation are encouraged to celebrate this sacrament.

Durante el sacramento de Unción de los Enfermos el sacerdote usa el óleo de los enfermos. El óleo de los enfermos es santo óleo que ha sido bendecido por el obispo para ser usado en la unción de los enfermos.

Un sacerdote unge la frente de la persona enferma con aceite diciendo:

"Por medio de esta santa unción, que el Señor en su amor y misericordia te ayude con la gracia del Espíritu Santo".

Unción de los enfermos es un sacramento para toda la Iglesia. La familia y la parroquia se reúnen con los enfermos en la celebración de este sacramento.

En este sacramento todos rezan para que Dios sane al enfermo. También recordamos nuestro llamado a seguir a Jesús amando y cuidando de los enfermos.

Junto con un compañero hablen de alguna vez en que alguien necesitó del consuelo y la esperanza de Jesús. Escriban una forma en que nosotros podemos ayudar.

Creemos en la vida eterna con Dios.

Algunas personas pueden estar tan enfermas que no pueden aliviarse. Rezamos por ellas para que no se sientan tristes o solas. Rezamos para que confíen en la promesa de Jesús de estar siempre con nosotros. Jesús estará con ellas en su muerte como lo estuvo en vida.

La muerte no es fácil de entender o de aceptar. Como cristianos no vemos la muerte como el fin de la vida. Creemos que nuestra vida continúa después de la muerte en diferente forma. Llamamos a esto vida eterna. Vida eterna es vivir por siempre con Dios en la felicidad del cielo.

Cuando la persona escoge amar y servir a Dios y a los demás, vivirán con Dios para siempre. El cielo es vivir con Dios eternamente.

During the Anointing of the Sick a priest uses the oil of the sick. The **oil of the sick** is holy oil that has been blessed by the bishop for use in the Anointing of the Sick.

A priest anoints the forehead of each sick person with this oil, saying:

"Through this holy anointing may the Lord in his love and mercy help you with the grace of the Holy Spirit."

The Anointing of the Sick is a sacrament for the whole Church. Family and parish members join with those who are sick in celebrating this sacrament.

At this sacrament we all pray that God will heal the sick. We also remember our own call to follow Jesus by loving and caring for people who are sick.

With a partner talk about some times people may need Jesus' comfort and hope. Write one way we can help them.

We believe in eternal life with God.

Sometimes people may be so sick that they do not get better. We pray that they will not feel lonely and sad. We pray that they will trust in Jesus' promise to be with them always. Jesus will be with them at their death as he was during their life.

Death is not easy for us to understand or to accept. As Christians we do not see death as the end of life. We believe that our life continues after death, in a different way. We call this eternal life. **Eternal life** is living forever with God in the happiness of heaven.

When people choose to love and serve God and others, they will live with God forever. Heaven is life with God forever.

Algunas personas escogen no amar y servir a Dios. Algunas personas escogen romper su amistad con Dios completamente. Por esa decisión, se separan de Dios para siempre. Infierno es separarse de Dios por siempre.

Dios no quiere que nadie se separe de él. Aun así, muchas personas al morir no tienen una buena relación con Dios y puede que no estén listos para entrar a la felicidad del cielo. Creemos que esas personas van al purgatorio, a preparase para ir al cielo. Nuestras oraciones y buenas obras pueden ayudar a esas personas a un día estar con Dios en el cielo.

🏃 Nombra algunas formas en que nuestras decisiones muestran a Dios que somos amigos.

La Iglesia celebra la vida eterna con Dios.

Nadie puede quitar la tristeza que se siente cuando muere un ser querido. Aun cuando estemos tristes, los católicos confiamos que esa persona gozará de la vida eterna.

En una misa especial damos gracias a Dios por la vida de la persona que ha muerto. Esta misa es llamada **misa de difuntos**. Nos reunimos como Iglesia con la familia y amigos del fallecido. Rezamos para que esa persona comparta la vida con Dios eternamente.

La misa de difuntos nos da esperanza. Recordamos que: en el Bautismo fuimos unidos a Cristo, Jesús murió y resucitó para darnos nueva vida y la muerte puede ser el inicio de la vida eterna.

En la misa mortuoria rezamos para que la persona fallecida se encuentre con Cristo en el cielo. Celebramos nuestra creencia de que alguien que ha muerto en Cristo vivirá eternamente con él. Consolamos a familia y amigos de la persona pasando tiempo y rezando con ellos.

RESPONDEMOS

🏃 Diseña una tarjeta para alguien que necesite ser consolado o esperanzado.

Como católicos...

La Iglesia nos anima a recordar y rezar por los que han muerto. Una forma en que podemos hacer esto es celebrando una misa en su memoria. A la familia de la persona fallecida se le da una tarjeta. Esta tarjeta deja saber a la familia que un sacerdote ofrecerá una misa por su ser querido. La familia recibe consuelo al saber que la persona que ha muerto es recordada.

La próxima vez que vayas a misa recuerda ofrecer una oración por un pariente o amigo fallecido.

Vocabulario

óleo de los enfermos (pp 316)

vida eterna (pp 317)

misa de difuntos (pp 316)

Some people choose not to love and serve God. Some people choose to break their friendship with God completely. Because of this choice, they separate themselves from God forever. Hell is being separated from God forever.

God does not want anyone to be separated from him. Yet many people who die in God's friendship may not be ready to enter the happiness of heaven. We believe these people enter into purgatory, which prepares them for heaven. Our prayers and good works can help these people so they may one day be with God in heaven.

 Name some ways that the choices we make show God that we are his friends?

The Church celebrates eternal life with God.

No one can take away the sadness that we feel when someone we love dies. Even though we are sad, Catholics trust that this person will enjoy eternal life.

At a special Mass we thank God for the life of the person who has died. This Mass is called a **funeral Mass**. We gather as the Church with the family and friends of the person who has died. We pray that this person will share life with God forever.

The funeral Mass gives us hope. We are reminded that: at Baptism we were joined to Christ, Jesus died and rose from the dead to bring us new life, and death can be the beginning of eternal life.

At the funeral Mass we pray that the person who has died will be joined to Christ in heaven. We celebrate our belief that everyone who has died in Christ will live with him forever. We give comfort to the person's family and friends by spending time and praying with them.

WE RESPOND

Think about someone your age who might need comfort and hope.

Key Words

oil of the sick (p. 319)

eternal life (p. 318)

funeral Mass (p. 319)

Llena los espacios en blanco.

1. La Iglesia sigue sanando como Jesús en el sacramento de la ___Uncion De enfermos___

2. En el sacramento de Unción de los enfermos, el sacerdote unge a la persona enferma con ___el oleo enfermos___.

3. ___vida eterna___ es vivir por siempre con Dios en la felicidad del cielo.

4. Una ___De Difuntos___ es una misa especial en la que damos gracias a Dios por la vida de la persona que ha muerto.

Contesta esta pregunta.

5. ¿En qué forma la misa de difuntos nos recuerda nuestro Bautismo?

   ___Fiamos unidos con christo Jesus___

Reflexiona y ora

La Iglesia lleva la sanación, el consuelo y la esperanza a los que lo necesitan. ¿Qué crees que eso significa?

Fill in the blanks.

1. The Church continues Jesus' healing in the sacrament of the _____.

2. In the sacrament of the Anointing of the Sick, the priest anoints a sick person with _____.

3. _____ is living forever with God in the happiness of heaven.

4. _____ is a special Mass at which we thank God for the life of the person who has died.

Answer the question.

5. What is one way the funeral Mass reminds us of our Baptism?

_____

_____

_____

Reflect & Pray

The Church brings Jesus' healing, comfort and hope to those who need it. What do you think this means?

_____

_____

Respondemos y compartimos la fe

Compartiendo lo aprendido

Mira la ilustración. Usala para decir
a tu familia lo que aprendiste
en este capítulo.

Colorea este
dibujo del
sacramento.

UNCIÓN DE LOS
ENFERMOS

Recuerda

- Jesús cuidó y sanó a los enfermos.
- La Iglesia sana en nombre
  de Jesús.
- Creemos en la vida eterna
  con Dios.
- La Iglesia celebra la vida eterna
  con Dios.

NUESTRA VIDA CATÓLICA
Cuidado pastoral de los enfermos

Por el Bautismo, los católicos están llamados a ayudarse.
Al seguir el ejemplo de Jesús mostramos respeto por todos. Todas
las parroquias ofrecen ayuda a los enfermos, los ancianos y los
moribundos. Sacerdotes, diáconos y ministros de la Eucaristía
visitan a esas personas, les leen la Biblia, rezan y les
llevan la comunión. Recordar a los enfermos de
manera especial les hace saber que no
son olvidados.

Visita Sadlier en

www.CREEMOSweb.com

 Conexión con el Catecismo
Para referencia vea los párrafos 1503,
1511, 1681 y 1684.

We Respond and Share the Faith

Sharing What I Learned

Look at the picture. Use it to tell your family what you learned in this chapter.

Color this sign of the sacrament.

ANOINTING OF THE SICK

Remember

- Jesus cared for and healed the sick.
- The Church heals us in Jesus' name.
- We believe in eternal life with God.
- The Church celebrates eternal life with God.

OUR CATHOLIC LIFE

Pastoral Care for the Sick

By Baptism, Catholics are called to help each other. Following the example of Jesus, we show respect for all people. In each of our parishes help is provided to the sick, the elderly, and the dying. Priests, deacons, and special ministers of the Eucharist visit, read from the Bible, pray, and offer Holy Communion. Remembering the sick in these special ways lets them know they are not forgotten.

Connect to the Catechism
For adult background and reflection, see paragraphs 1503, 1511, 1681, and 1684.

Visit Sadlier's

www.CREEMOSweb.com

La Cuaresma es tiempo de preparación para la Pascua de Resurrección

NOS CONGREGAMOS

¿Has tenido que prepararte para un evento especial, como por ejemplo, una reunión en familia? ¿Cómo te preparaste?

CREEMOS

La Cuaresma es un tiempo de preparación para la Pascua de Resurrección. Durante la Cuaresma recordamos tres cosas muy importantes: por el Bautismo pertenecemos a Dios, vivimos por la gracia, que es la vida de Dios en nosotros, viviremos eternamente con Dios porque Jesús murió y resucitó de la muerte para darnos nueva vida.

La cuaresma dura cuarenta días. Empieza el Miércoles de ceniza. Ese día somos marcados con ceniza bendita. La ceniza se usa para hacer una cruz en nuestra frente. La ceniza es señal de que estamos arrepentidos de nuestros pecados.

🎵 Dios no quiere la muerte

Dios no quiere la muerte del pecador,
sino que viva, que se convierta,
que se convierta y que viva.
Tu palabra es luz que me ilumina.
Tu palabra es pan que me alimenta.
Con tu cuerpo y tu sangre me confortas,
y me haces vivir tu misma vida.

"Vengan a mí y pongan atención, escúchenme y vivirán".

Isaías 55:3

Lent

The season of Lent is a time of preparation for Easter.

WE GATHER

Have you had to take the time to get ready for a special event like a family get-together? How did you prepare?

WE BELIEVE

Lent is our time of preparation for Easter. All during Lent, we remember three very important things: we belong to God through Baptism, we live now by grace, the life of God within us, and we will live forever with God because Jesus died and rose to bring us God's life.

The season of Lent lasts forty days. It begins on Ash Wednesday. On this day we are marked with blessed ashes. The ashes are used to make a cross on our foreheads. The ashes are a sign that we are sorry for our sins.

🎵 Ashes

We rise again from ashes,
from the good we've failed to do.
We rise again from ashes,
to create ourselves anew.
If all our world is ashes,
then must our lives be true,
an offering of ashes,
an offering to you.

"Come to me heedfully,
listen, that you may have life."

Isaiah 55:3

La Cuaresma es un tiempo especial para la Iglesia. Es un tiempo especial para renovar nuestro Bautismo. Recordamos las aguas del Bautismo que nos limpia del pecado y nos da nueva vida. Recordamos que en el Bautismo nos unimos a Jesús y por primera vez recibimos la gracia de Dios. Esta es la gracia que recibimos en la Eucaristía y en los otros sacramentos.

Celebrar los sacramentos de la Reconciliación y la Eucaristía es una parte importante de la Cuaresma. Los sacramentos nos introducen en la maravilla de la muerte y resurrección de Cristo. Somos fortalecidos por el amor y el perdón de Dios. Somos alimentados por el Cuerpo y la Sangre de Cristo.

La Cuaresma es un tiempo para alimentar nuestra fe. Pensamos y rezamos sobre la vida que tenemos porque Jesús murió y resucitó por nosotros. Pensamos sobre lo que creemos como cristianos. Rezamos por los que van a celebrar los sacramentos de iniciación en la Vigilia Pascual.

Durante la Cuaresma hacemos un esfuerzo especial para seguir a Jesús. Rezamos, hacemos penitencia y obras de amor y misericordia. Hacer esas cosas nos ayuda a renovar nuestro Bautismo y a prepararnos para los grandes Tres Días.

Lent is a special time for the Church. It is a special time to renew our Baptism. We remember the waters of Baptism that cleansed us from sin and brought us new life. We recall that in Baptism we were joined to Jesus and first received a share in God's life, grace. This is the grace we also receive in the Eucharist and the other sacraments.

Celebrating the sacraments of Reconciliation and the Eucharist is an important part of the season of Lent. The sacraments bring us into the wonder of Christ's death and Resurrection. We are strengthened by God's love and forgiveness. We are nourished by the Body and Blood of Christ.

Lent is a time to grow in faith. We think and pray about the life we have because Jesus died and rose for us. We think about what we believe as Christians. We pray with those who will celebrate the sacraments of initiation at the Easter Vigil.

During Lent we make a special effort to follow Jesus. We do this through prayer, penance, and acts of love and mercy. Doing these things during Lent helps us to renew our Baptism and gets us ready for the great Three Days.

RESPONDEMOS

Juntos hablen sobre lo que pueden hacer para fortalecer su fe y amor durante la Cuaresma.

✝ Respondemos en oración

Líder: Padre misericordioso, tanto es tu amor que nos enviaste a tu Hijo para darnos vida. Ayúdanos a creer en él y a seguirlo.

Todos: ¡Creemos!

Lector: Lectura del Evangelio de Juan

"Dios amó tanto al mundo, que dio a su Hijo único, para que todo aquel que cree en él no muera, sino que tenga vida eterna. Porque Dios no envió a su Hijo al mundo para condenar al mundo sino para salvarlo". (Juan 3:16–17)

Palabra del Señor.

Todos: Gloria a ti, Señor Jesús.

♫ Dios no quiere la muerte

Dios no quiere la muerte del pecador,
sino que viva, que se convierta,
que se convierta y que viva.
Tu palabra es luz que me ilumina.
Tu palabra es pan que me alimenta.
Con tu cuerpo y tu sangre me confortas,
y me haces vivir tu misma vida.

Talk together with your class about what you can do to grow in faith and love during Lent.

✝ We Respond in Prayer

Leader: O Merciful God, you loved us so much you sent your Son to bring us life. Help us to believe in and follow him.

All: We believe!

Reader: A reading from the Gospel of John

"For God so loved the world that he gave his only Son, so that everyone who believes in him might not perish but have eternal life. For God did not send his Son into the world to condemn the world, but that the world might be saved through him." (John 3:16–17)

The Gospel of the Lord.

All: Praise to you Lord Jesus Christ.

♪ Ashes

Thanks be to the Father,
who made us like himself.
Thanks be to his Son,
who saved us by his death.
Thanks be to the Spirit
who creates the world anew
From an offering of ashes,
an offering to you.

Respondemos y compartimos la fe

Compartiendo lo aprendido

Mira la ilustración. Usala para decir a tu familia lo que aprendiste en este capítulo.

Oración para la Cuaresma

Prepara un lugar especial para rezar con tu familia durante esta Cuaresma. Coloca una cruz o un crucifijo y fotos de los bautismos de tus familiares en tu espacio.

Juntos recen la siguiente oración cada semana de Cuaresma.

Primera semana: Señor, ayúdanos a vivir tu palabra.

Segunda semana: Señor Jesús, Hijo de Dios, ten piedad de nosotros.

Tercera semana: Dios, danos un corazón lleno de amor.

Cuarta semana: Aquí estamos, Señor, para hacer tu Voluntad.

Quinta semana: Señor, danos tu paz.

Sexta semana: Jesús, gracias por todo lo que has hecho por nosotros.

Conexión con el Catecismo
Para referencia vea el párrafo 540.

We Respond and Share the Faith

Sharing What I Learned

Look at the picture. Use it to tell your family what you learned in this chapter.

Prayers for Lent

Set up a special place for your family to pray together during this season of Lent. Display a cross or crucifix and photos of family baptismal celebrations in your prayer space.

Pray together one of these prayers for each week of Lent.

Week 1: Lord, help us live by your word.

Week 2: Lord Jesus, Son of God, have mercy on us.

Week 3: Lord, give us hearts full of love.

Week 4: Here we are, Lord. We come to do your will.

Week 5: Lord, grant us your peace.

Week 6: Jesus, thank you for all you have done for us.

 Connect to the Catechism

For adult background and reflection, see paragraph 540.

Visit Sadlier's

www.CREEMOSweb.com

Los Tres Días celebran que Jesús pasó de la muerte a una nueva vida.

NOS CONGREGAMOS

¿Cuándo celebraste un fin de semana largo o un día de fiesta con tu familia?

¿Qué hicieron o dijeron que hizo de esa una ocasión especial para estar en familia?

CREEMOS

Los Tres Días son la mayor celebración de la Iglesia. Ellos son como un puente. Los Tres Días nos llevan del tiempo de Cuaresma al tiempo de Pascua.

Durante los Tres Días nos reunimos con nuestra parroquia. Celebramos de noche y de día. Los Tres Días se empiezan a contar en la tarde. El primer día empieza el Jueves Santo en la tarde. Recordamos lo que pasó en la última cena. Celebramos que Jesús se dio a sí mismo por nosotros en la Eucaristía. Recordamos la forma en que Jesús sirvió a los demás. Hacemos una colecta especial para los necesitados.

"Esta es la noche en que, rotas las cadenas de la muerte, Cristo asciende victorioso del abismo".

Pregón Pascual

The Three Days

The Three Days celebrate that Jesus passed from death to new life.

WE GATHER

When have you celebrated a long weekend or holiday with your family?

What did you do or say that made it a special time to be with your family?

WE BELIEVE

The Three Days are the Church's greatest celebration. They are like a bridge. The Three Days take us from the season of Lent to the season of Easter.

During the Three Days, we gather with our parish. We celebrate at night and during the day. The Three Days are counted from evening to evening. The first day starts on the evening of Holy Thursday. We remember what happened at the Last Supper. We celebrate that Jesus gave himself to us in the Eucharist. We remember the ways Jesus served others. We have a special collection for those who are in need.

"Most blessed of all nights, chosen by God to see Christ rising from the dead."

Exsultet, Easter Vigil

El Viernes Santo, recordamos el sufrimiento y la muerte de Jesús en la cruz. En la Iglesia, el altar está completamente vacío. Escuchamos lecturas de la Biblia donde leemos sobre la muerte de Jesús. Honramos la cruz en forma especial y alabamos a Dios por la vida que nos dio con la muerte de Jesús. Rezamos por todo el mundo. Después esperamos y rezamos.

El Sábado Santo pensamos en lo que le pasó a Jesús. Rezamos para que podamos unirnos a Jesús. Nos reunimos de nuevo como comunidad la noche de la Vigilia Pascual. Se enciende un fuego. El cirio pascual es encendido y se canta: " La luz de Cristo".

Escuchamos diferentes historias de la Biblia. Recordamos las grandes cosas que Dios ha hecho por nosotros. Cantamos con gozo para celebrar que Jesús resucitó de la muerte.

Los nuevos miembros de la Iglesia reciben la nueva vida de Cristo en el Bautismo, la Confirmación y la Eucaristía. Nos regocijamos con ellos. Este es el momento más importante, la noche más hermosa del año. El Sábado Santo pasa a ser Pascua de Resurrección.

El Domingo de Pascua escuchamos la historia de la resurrección de Jesús. Recibimos el Cuerpo y la Sangre del Señor resucitado en la comunión. Se nos da la fuerza y el gozo para vivir una nueva vida. ¡Aleluya!

Vigilia Pascual

On Good Friday, we remember the suffering and death of Jesus on the cross. In church, the altar is completely bare. We listen to the Bible readings that tell us about Jesus' death. We give special honor to the cross, and we praise God for the life that comes from Jesus' death. We pray for the whole world. Then we wait and pray.

Reading of the Passion, Good Friday

On Holy Saturday, we think about all that happened to Jesus. We pray that we might be joined to Jesus. We gather again as a community at night for the Easter Vigil. A fire is burning bright. The Easter candle is lit and we sing "Christ our light!"

We listen to many different stories from the Bible. We remember all the great things God has done for us. We sing with joy to celebrate that Jesus rose from the dead.

New members of the Church receive the new life of Christ in Baptism, Confirmation, and the Eucharist. We rejoice with them. This is the most important and the most beautiful night of the year! Holy Saturday turns into Easter Sunday.

On Easter Sunday, we listen to the story of Jesus' Resurrection. We receive the Body and Blood of the risen Jesus in Holy Communion. We are given new strength and joy to live his risen new life. Alleluia!

RESPONDEMOS

 Dibuja o escribe algo que diga a otros sobre los Tres Días.

✝ Respondemos en oración

Líder: La noche antes del Domingo de Pascua, durante la Vigilia Pascual, se bautiza a los que se han estado preparando durante la Cuaresma para el Bautismo. Ellos reciben la nueva vida que Jesús ganó para nosotros resucitando de la muerte.

Cada uno de nosotros ha sido bautizado. Somos hijos de Dios. Vamos a renovar las promesas hechas por nuestros padres y padrinos en nuestro bautismo.

Líder: ¿Creen en Dios, nuestro Padre creador?

Todos: Creemos.

Líder: ¿Creen en Jesucristo, quien nos salvó muriendo y resucitando?

Todos: Creemos.

Líder: ¿Creen en el Espíritu Santo quien guía a la Iglesia y vive en cada uno de nosotros?

Todos: Creemos.

Líder: Esto es lo que creemos. Esta es nuestra fe. Como señal de esa fe vengan para ser signados con la señal de la cruz.

X Draw or write something that will tell others about the Three Days.

✝ We Respond in Prayer

Leader: On the night before Easter Sunday, during the Easter Vigil, those who have been preparing for Baptism during Lent are baptized. They receive the new life Jesus won for us in his rising from the dead.

Each of you is baptized. You are children of God. Let us renew the promises our parents and godparents made for us at Baptism.

Leader: Do you believe in God our Father and Creator?

Children: I do.

Leader: Do you believe in Jesus Christ who saved us through his dying and rising again?

Children: I do.

Leader: Do you believe in the Holy Spirit who guides the Church and who lives in each of us?

Children: I do.

Leader: This is what we believe. This is our faith. As a sign of that faith, come forward to be signed with the sign of the cross.

THE THREE DAYS

Respondemos y compartimos la fe

Compartiendo lo aprendido

Mira la ilustración. Usala para decir a tu familia lo que aprendiste en este capítulo.

Una Cruz

Invita a tu familia a decorar una cruz para los Tres Días. Incluye decoraciones que reflejen la fe y esperanza de tu familia.

Oración en familia para los Tres Días

(Reza esta oración con tu familia durante los Tres Días.)

¡Qué hermosa la cruz de Cristo!
Trae vida, no muerte;
luz, no oscuridad.

Theodore op Studios

Visita Sadlier en

www.CREEMOSweb.com

Conexión con el Catecismo
Para referencia vea el párrafo 647.

We Respond and Share the Faith

Sharing What I Learned

Look at the picture. Use it to tell your family what you learned in this chapter.

A Three Day Cross

Invite your family to decorate a cross for the Three Days. Include decorations that reflect the faith and hope in your family.

A Family Prayer for the Three Days

(Pray this prayer with your family during the Three Days.)

How splendid the cross of Christ!
It brings life, not death;
light, not darkness.

Theodore of Studios

 Connect to the Catechism
For adult background and reflection, see paragraph 647.

Visit Sadlier's

www.CREEMOSweb.com

NOS CONGREGAMOS

✝ **Líder:** Imagina que estás con los apóstoles. Jesús ha sido crucificado. Estás rezando con ellos en un cuarto.

De repente, Jesús aparece y dice:

Lector: "¡Paz a ustedes! Como el Padre me envió a mí, así yo los envío a ustedes". (Juan 20:21)

Líder: ¿Qué quiso decir Jesús? ¿Dónde te está enviando?

Oremos.

Todos: Jesús, escuchamos tu mensaje. Ayúdanos a compartir tu amor con otros. Amén.

☀ Cuenta sobre una vez en que se te dio a hacer algo importante. ¿Cómo el hacerlo te ayudó y ayudó a tu familia y amigos?

CREEMOS

Jesús trae la vida y el amor de Dios al pueblo.

Jesús, el Hijo de Dios, tenía un trabajo muy importante que hacer. Su misión fue traer la vida y el amor de Dios a todos.

We Continue the Work of Jesus

WE GATHER

✝ **Leader:** Imagine that you are with the apostles. Jesus has just been crucified. You are praying together in a room.

All of a sudden, Jesus is standing in the room with you. He says,

Reader: "Peace be with you. As the Father has sent me, so I send you." (John 20:21)

Leader: What do you think Jesus means? Where is he sending you?

Let us pray together:

All: Jesus, we are listening to the message. Help us as we go out to share your love with others. Amen.

☀ Tell about a time when you were given something important to do. How did doing this help you, your family, or your friends?

WE BELIEVE

Jesus brings God's life and love to all people.

Jesus, the Son of God, had very important work to do. His mission was to bring God's life and love to all people.

Lucas 4:16–19

Jesús empezó su trabajo público después que fue bautizado por Juan. En la sinagoga en Nazaret, Jesús leyó estas palabras del profeta Isaías:

"El Espíritu del Señor está sobre mí, porque me ha consagrado para llevar la buena noticia a los pobres; me ha enviado a anunciar libertad a los presos y dar vista a los ciegos; a poner en libertad a los oprimidos; a anunciar el año favorable del Señor". (Lucas 4:18–19)

Jesús fue a muchos pueblos y villas diciendo a la gente que Dios los amaba y cuidaba de ellos. Jesús mostró a los pobres y los solitarios que ellos eran importantes. El sanó a los enfermos. Habló en beneficio de los tratados injustamente. Jesús cuidó de todos los necesitados y enseñó a sus discípulos a hacer lo mismo.

Jesús ofreció la paz y la libertad que viene del amor y el perdón de Dios. El compartió el amor de Dios con ellos y ellos creyeron.

Nombra una forma en que puedes cuidar de los necesitados.

Jesús comparte su misión con sus discípulos.

Jesús dio una misión a sus apóstoles. Jesús les pidió ir por todas la naciones a enseñar a la gente sobre él. Los apóstoles fueron a bautizar a todos los que creyeron en él.

El Espíritu Santo fortalece y guía a los apóstoles. Los apóstoles dirigieron a otros discípulos para hacer el trabajo de Jesús. Esta es la buena nueva que compartieron:

- Dios creó a todo el mundo a su imagen.

- Dios ama y cuida de todos.

- Dios amó tanto al mundo que envió a su único Hijo para mostrarnos como vivir y para salvarnos del pecado.

- Jesús nos enseñó a amar a Dios sobre todas las cosas y a amar a nuestro prójimo como a nosotros mismos.

- Jesús trabajó por la justicia y la paz y él nos pide hacer lo mismo.

📖 Luke 4:16–19

Jesus began his work among the people after he was baptized by his cousin John. In the synagogue in Nazareth, Jesus read these words from the prophet Isaiah.

"The Spirit of the Lord is upon me,
    because he has anointed me
        to bring glad tidings to the poor.
He has sent me to proclaim liberty to captives
    and recovery of sight to the blind,
        to let the oppressed go free,
and to proclaim a year acceptable to the Lord." (Luke 4:18–19)

Jesus then went to many towns and villages telling people that God cared for and loved them. Jesus showed those who were poor or lonely that they were important. He healed people who were sick. He stood up for those who were treated unjustly. Jesus cared for the people's needs and taught his disciples to do the same.

Jesus offered others the peace and freedom that come from God's love and forgiveness. He shared God's love with them, and they believed.

 Write one way you can care for the needs of others.

Jesus shares his mission with his disciples.

Jesus gave his apostles a mission. Jesus asked the apostles to go to all nations and teach people about him. The apostles were to baptize all those who believed in him.

The Holy Spirit strengthened and guided the apostles. The apostles led the other disciples in doing the work of Jesus. This is the good news they shared:

- God made all people in his image.

- God loves and cares for everyone.

- God so loved the world that he sent his only Son who showed us how to live and saved us from sin.

- Jesus taught us to love God above all else and to love our neighbors as ourselves.

- Jesus worked for justice and peace and he asks all of us to do the same.

Por el Bautismo cada uno de nosotros es llamado a aprender de las enseñanzas de Jesús y a compartir su buena nueva.

En grupo nombren algunas maneras en que su parroquia comparte la buena nueva de Jesús.

La Iglesia trabaja por la justicia y la paz.

Jesús enseñó que todo el mundo es creado y amado por Dios. Todos somos creados a imagen de Dios. Todo el mundo merece ser tratado con justicia y respeto. El asegurar que esto suceda es una forma de la Iglesia trabajar por la justicia y la paz en el mundo.

El papa y los obispos nos enseñan sobre la necesidad de proteger la vida humana. En muchas formas ellos nos recuerdan respetar los derechos de todo el mundo.

Nuestras parroquias sirven a los necesitados y trabajan para construir mejores comunidades. En nuestras familias, escuelas y vecindarios, vivimos el mandamiento de Jesús de amar a los demás como él nos ama.

Toda la Iglesia trabaja por la justicia. Ayudamos a proteger a los niños, cuidamos de los pobres y acogemos a los nuevos en la comunidad.

Junto con un compañero escriban un eslogan que recuerde a la clase la necesidad de justicia y paz.

Como católicos...

Tanto aquí como en otros países, hay misioneros que ayudan a seguir la misión de Jesús. Ellos pueden ser sacerdotes ordenados, diáconos, hermanas y hermanos religiosos, personas solteras o casadas. Algunos misioneros sirven como maestros, enfermeras, médicos o trabajadores sociales.

Algunas personas pasan toda su vida en misión. Otros pasan un mes, un verano o uno o dos años haciendo trabajo misionero.

Averigua si hay algún misionero en tu vecindario.

Through Baptism each of us is called to learn from Jesus' teachings and to share the good news of Jesus.

In groups name some ways your parish shares the good news of Jesus.

The Church works for justice and peace.

Jesus taught that all people are created and loved by God. We are all made in God's image. So all people deserve to be treated fairly and with respect. Making sure this happens is one way the Church works for justice and peace in the world.

The pope and bishops teach us about the need to protect human life. In many ways they remind us to respect the rights of all people.

Our parishes serve those in need and work together to build better communities. In our families, schools, and neighborhoods, we live out Jesus' command to love others as he loves us.

The whole Church works for justice. We help to protect children, to care for the poor, and to welcome people who are new to our country.

With a partner come up with a slogan to remind your class about the need for justice and peace.

As Catholics...

Both at home and in other countries, missionaries help to do the work of Jesus. They may be ordained priests and deacons, religious sisters and brothers, and single or married laypeople. Some missionaries serve as teachers, nurses, doctors, or social workers.

Some people spend their whole lives being missionaries. Others spend a month, a summer, or even a year or two doing missionary work.

Find out about some missionaries in your neighborhood.

Vivimos la buena nueva de Jesucristo.

Como discípulos de Jesús somos llamados a vivir la buena nueva y a trabajar por la paz y la justicia como lo hizo Jesús. Para mostrar que somos sus discípulos podemos:

- amar y obedecer a nuestros padres y los que cuidan de nosotros

- ser amigos de otros, especialmente los que están solos y se sienten rechazados

- ayudar a los que son tratados injustamente

- tratar a todos con justicia y respeto

- buscar y cuidar de los que necesitan nuestra ayuda en este país y en el mundo.

Como discípulos de Jesús no trabajamos solos. Junto con otros miembros de la Iglesia, podemos visitar a los enfermos y los ancianos. Podemos ser voluntarios en una cocina popular o un refugio para desamparados. Podemos ayudar a los minusválidos. Podemos ayudar a los extranjeros a encontrar trabajo y vivienda y a aprender el idioma. Podemos escribir a los líderes de nuestro estado o país. Podemos pedir a nuestros líderes que hagan leyes que protejan a los niños y a los necesitados.

RESPONDEMOS

 Dibuja una forma en que tu familia puede llevar el amor de Dios a otros.

We live out the good news of Jesus Christ.

As disciples of Jesus we are called to live out the good news and to work for peace and justice as Jesus did. To show we are disciples we can:

- love and obey our parents and those who care for us

- be a friend to others, especially those who feel lonely and left out

- help those who are treated unfairly

- treat everyone fairly and with respect

- learn about and care for people who need our help in this country and in the world.

As disciples of Jesus we do not work alone. Together with other Church members, we can visit those who are sick or elderly. We can volunteer in soup kitchens or homeless shelters. We can help those who have disabilities. We can help those from other countries to find homes and jobs and to learn the language. We can write to the leaders of our state and country. We can ask our leaders for laws that protect children and those in need.

WE RESPOND

Draw one way your family can bring Jesus' love to others.

Repaso

Capítulo 22

Encierra en un círculo V si la oración es verdadera y F si es falsa.

1. Mostramos que somos discípulos sólo cuando estamos en la misa.

V   (F)

2. Jesús pide a sus discípulos continuar su trabajo.

(V)   F

3. Sólo el papa y los obispos comparten la buena nueva y trabajan por la justicia.

V   (F)

4. Sólo algunas personas merecen ser tratadas con justicia y respeto.

V   (F)

Contesta las siguientes preguntas.

5. ¿Cuál fue la misión de Jesús? ¿Cómo la llevó a cabo?

_____

Reflexiona y ora

Esta es una forma en que puedo servir a otros

_____

Jesús, diste a tus discípulos una misión. Ayúdame a

_____

Circle T if the sentence is true. Circle F if the sentence is false.

1. We show we are disciples only when we participate in Mass.

T   F

2. Jesus asks his disciples to continue his work.

T   F

3. Only the pope and bishops share the good news and work for justice.

T   F

4. Only some people deserve to be treated fairly and with respect.

T   F

Answer the questions.

5. What was Jesus' mission? How did he carry it out?

_____

_____

Reflect & Pray

The way I can serve others is

_____

Jesus, you gave your disciples a mission. Help me to

_____

Respondemos y compartimos la fe

Compartiendo lo aprendido

Mira la ilustración. Usala para decir a tu familia lo que aprendiste en este capítulo.

Recuerda

- Jesús trae la vida y el amor de Dios al pueblo.
- Jesús comparte su misión con sus discípulos.
- La Iglesia trabaja por la justicia y la paz.
- Vivimos la buena nueva de Jesucristo.

Discípulos de hoy

Invita a tu familia a hablar sobre personas que continúan el trabajo de Jesús y como lo hacen.

NUESTRA VIDA CATOLICA

Apoyando el trabajo misionero

La Extension Society de la Iglesia Católica ayuda el trabajo misionero en los Estados Unidos. Esta se inició en 1905. Recibe muchas donaciones. El dinero donado va a personas y lugares con mucha necesidad. En años recientes, setenta y cuatro diócesis en treinta y cuatro estados recibieron donaciones de esta sociedad.

Visita Sadlier en

www.CREEMOSweb.com

Conexión con el Catecismo
Para referencia vea los párrafos 543, 551, 2419 y 2449.

We Respond and Share the Faith

Sharing What I Learned

Look at the picture. Use it to tell your family what you learned in this chapter.

Remember

- Jesus brings God's life and love to all people.
- Jesus shares his mission with his disciples.
- The Church works for justice and peace.
- We live out the good news of Jesus Christ.

Disciple of the Day

Invite your family to talk about people who continue the work of Jesus and ways they do this.

OUR CATHOLIC LIFE
Supporting Missionary Work

The Catholic Church Extension Society helps missionary work in the United States. It began in 1905. It receives many donations. The money that is donated goes to people and places that need it the most. In a recent year, seventy-four dioceses in thirty-four states received donations from the Catholic Church Extension Society.

Connect to the Catechism
For adult background and reflection, see paragraphs 543, 551, 2419, and 2449.

Visit Sadlier's

www.CREEMOSweb.com

NOS CONGREGAMOS

 Líder: Demos gracias a Dios por sus muchas bendiciones. Vamos a ofrecerle nuestras oraciones.

Lector: Oremos por los hermanos que comparten nuestra fe en Cristo, para que Dios reúna en una sola Iglesia a todos los que buscan la verdad con sinceridad.

Roguemos al Señor.

Todos: Señor, escucha nuestra oración.

¿Qué cosas interesantes has aprendido sobre personas y lugares de otros países? Hablen de esas cosas.

CREEMOS

Los pueblos alrededor del mundo tienen diferentes creencias acerca de Dios.

Los cristianos son personas de fe que creen y siguen a Jesucristo. No todo el mundo cree en Jesús. Esto no quiere decir que no sean gente de fe. Ellos creen en Dios y adoran a Dios de diferentes formas. Viven su fe en sus hogares, escuelas y comunidades.

Los judíos son un pueblo de fe que cumple la ley de Dios y los Diez Mandamientos. Ellos con frecuencia llaman a Dios Yavé y Señor. Celebran muchas fiestas y días de fiestas.

The Church Respects All People

WE GATHER

✝ **Leader:** Let us thank God for his many blessings. Now let us offer our prayers to him.

Reader: Let us pray
for all our brothers and sisters
who share our faith in Jesus Christ,
that God may gather and keep together
    in one Church
all those who seek the truth
    with sincerity.
We pray to the Lord.

All: Lord, hear our prayer.

What interesting things have you learned about people and places in other countries? Talk about these things together.

WE BELIEVE

People around the world have different beliefs about God.

Christians are people of faith who believe in and follow Jesus Christ. Not everyone in the world believes in Jesus as Christians do. This does not mean that they are not people of faith. They believe in God and worship God in different ways. They live their faith at home, in school, and in their communities.

Jews are people of faith who keep God's law and follow the Ten Commandments. They often call God Yahweh and Lord. They celebrate many feasts and holidays.

Los cristianos tiene un lazo especial con los judíos. Muchas creencias y prácticas cristianas vienen de la fe judía.

Los musulmanes son un pueblo de fe que sigue las enseñanzas de Mahoma. Ellos llaman a Dios, Alá. Rezan y adoran a Dios en formas especiales. Los musulmanes comparten algunas de las creencias de los judíos y los cristianos.

Musulmanes en oracion

Muchas tribus nativas de los Estados Unidos alaban a Dios honrando y respetando la creación. Ellos llaman a Dios, el Gran Espíritu.

Hay muchos otros pueblos de fe. Ellos también siguen una serie de creencias y muestran su fe de diferentes formas.

Habla de las formas en que puedes mostrar respeto por personas de otra fe.

La fe judía es importante para los cristianos.

Leer el Antiguo Testamento nos puede ayudar a entender la historia y creencias judías. Es importante porque también son parte de nuestra historia.

Aprendemos en el Antiguo Testamento sobre la alianza de Dios con Moisés. Una **alianza** es un acuerdo entre Dios y su pueblo.

Pascua Judía

En esta alianza con Moisés y el pueblo, Dios prometió ser su Dios. El le daría a su pueblo su propia tierra. El pueblo prometió ser el pueblo de Dios y creer en él. Ellos prometieron adorar a un solo y verdadero Dios. Estuvieron de acuerdo en vivir según sus leyes y cumplir los Diez Mandamientos.

Christians have a special connection to the Jewish people. Many Christian beliefs and practices come from the Jewish faith.

Muslims are people of faith who follow the teachings of Muhammad. They call God Allah. They pray and worship God in unique ways. Muslims have some of the same beliefs as Jews and Christians.

Many native tribes worship God by honoring and respecting his creation. They call God the Great Spirit.

There are many other people of faith. They, too, follow a set of beliefs and show their faith in different ways.

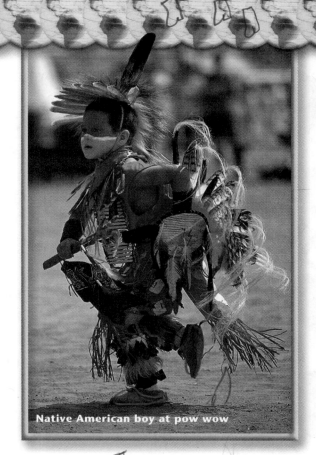

Native American boy at pow wow

 Talk about ways you can show respect for people of all faiths.

The Jewish faith is important to Christians.

Reading the Old Testament can help us to understand Jewish history and beliefs. This is important because they are part of our history, too.

We learn from the Old Testament about God's covenant with Moses. A **covenant** is an agreement between God and his people.

In this covenant with Moses and the people, God promised to be their God. He would give his people a land all their own. The people promised to be God's people and to believe in him. They promised to worship only the one true God. They agreed to live by God's law and to follow the Ten Commandments.

Dios siguió amando a su pueblo. El le habló por medio de los profetas. Los profetas recordaron al pueblo su promesa a Dios.

Juan el Bautista fue uno de esos profetas. El preparó al pueblo para la venida del Mesías. El Mesías sería enviado por Dios para traer misericordia, paz y justicia.

Algunos judíos creyeron que Jesús era el Mesías. Ellos lo siguieron y se hicieron sus discípulos. Después de la muerte y resurrección de Jesús, el número de discípulos de Jesús creció. Los que siguen a Jesús y sus enseñanzas se conocen como cristianos.

Abraham

Sara

Moisés

En este rollo, escribe una oración para que Dios bendiga a nuestros hermanos judíos.

Aman a dios y Jesus para siepre bendice a los y judíos judíos

Cristo llama a sus seguidores a la unidad.

En la última cena, Jesús rezó para que sus seguidores fueran una comunidad. El rezó: "No te ruego solamente por éstos, sino también por los que han de creer en mí al oír el mensaje de ellos." (Juan 17:20–21)

Los cristianos creen y siguen a Jesús. Los católicos son cristianos. Como católicos seguimos las enseñanzas y los ejemplos de Jesucristo. Pertenecemos a la Iglesia Católica.

Hay cristianos ortodoxos y episcopales. Otros cristianos pueden ser luteranos, metodistas, presbiterianos y bautistas.

John the Baptist

Jesus

God continued to love his people. He spoke to them through the prophets. The prophets reminded the people of their promises to God.

John the Baptist was one of these prophets. He prepared the people for the coming of the Messiah. The Messiah would be sent by God to bring mercy, peace, and justice.

Some Jews believed that Jesus was this Messiah. They followed him and became his disciples. After Jesus' death and Resurrection, the number of Jesus' disciples grew. Those who followed Jesus and his teachings became known as Christians.

In this scroll, write a prayer for God's blessings on our Jewish brothers and sisters.

_____

_____

_____

Christ calls his followers to be united.

At the Last Supper, Jesus prayed that his followers would always be one community. He prayed, "I pray not only for them, but also for those who will believe in me through their word, so that they may all be one." (John 17:20–21)

Christians believe in and follow Jesus. Catholics are Christians. As Catholics we follow the teachings and example of Jesus Christ. We belong to the Catholic Church.

There are Orthodox Christians and Episcopal Christians. Other Christians may be Lutheran, Methodist, Presbyterian, and Baptist.

Los cristianos tienen importantes cosas en común. Todos los cristianos son bautizados y comparten algunas creencias importantes.

- Dios es Padre, Hijo y Espíritu Santo.
- Jesús es divino y humano.
- Jesús murió por nuestros pecados y resucitó de la muerte.
- La Biblia fue inspirada por el Espíritu Santo.

Hoy la Iglesia Católica trabaja con otros cristianos para reunir a todo el pueblo bautizado. Este trabajar por la unidad Cristina es llamado **ecumenismo**.

En grupos hagan una lista de cosas que pueden hacer para mostrar que somos cristianos. Compartan sus ideas.

La Iglesia trabaja por la unidad cristiana.

¿Cómo puede cada uno de nosotros trabajar por la unidad cristiana? Primero necesitamos conocer nuestra fe y ser los mejores católicos que podamos ser. Otros cristianos pueden aprender de la Iglesia Católica por lo que somos y hacemos.

Tratamos de respetar a todo el mundo como lo hizo Jesús. Recibimos los sacramentos. Recibir los sacramentos es parte importante de ser católico. Los sacramentos fortalecen nuestra fe. Los sacramentos nos ayudan a acercarnos más a Dios y a los demás.

También necesitamos conocer nuestra fe para poder compartirla con otros. No podemos decir a otros lo que significa ser católico si no sabemos lo que es. Leemos la Biblia y pedimos ayuda a Dios para entender su palabra. Aprendemos la historia de nuestra Iglesia. También aprendemos lo que la Iglesia enseña sobre asuntos importantes. Esto nos ayuda a seguir las enseñanzas de la Iglesia.

RESPONDEMOS

¿Qué puedes hacer para mostrar que eres cristiano?

Vocabulario
alianza (pp 315)
ecumenismo (pp 315)

Como católicos...

Todos los años, en enero, la Iglesia celebra una semana de oración en favor de la unidad de los cristianos. Rezamos para que todos los cristianos sean uno. Se ora y se hacen discusiones en grupo. Juntos los cristianos tratan de aumentar su amor y comprensión. Como católicos, todas las semanas en la misa rezamos para que todos los cristianos sean uno.

Investiga como tu parroquia trabaja con otras iglesias cristianas en tu vecindario.

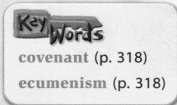

Key Words

covenant (p. 318)

ecumenism (p. 318)

All Christians have some important things in common. All Christians are baptized and share some very important beliefs.

- God is Father, Son, and Holy Spirit.

- Jesus is both divine and human.

- Jesus died for our sins and rose again from the dead.

- The Bible was inspired by the Holy Spirit.

Today the Catholic Church is working with other Christians to bring together all baptized people. This work toward Christian unity is called **ecumenism**.

In groups list some things we can do to show that we are Christians. Share your ideas.

The Church works for Christian unity.

How can each one of us work for Christian unity? We first need to know our faith and be the best Catholics we can be. Other Christians can learn about the Catholic Church by who we are and what we do.

We try to treat people the way Jesus did. We receive the sacraments. Receiving the sacraments is an important part of being Catholic. The sacraments strengthen our faith. The sacraments help us grow closer to God and to one another.

We also need to know our faith so we can share it with others. We cannot tell other people what it means to be a Catholic if we do not know. We read the Bible and ask God to help us to understand his word. We learn the history of our Church. We also learn what the Church teaches about important topics. This helps us to follow the Church's teachings.

WE RESPOND

What is something you can do to show you are Christian?

As Catholics...

Each year in January the Church celebrates a week of prayer for Christian Unity. We pray that all Christians may be one. Prayer services and discussion groups are held. Together Christians try to grow in love and understanding. As Catholics every week at Mass we pray that all Christians will be one.

Find out how your parish works with other Christian churches in your neighborhood.

Aparea las palabras de la columna A con la descripción correcta en la columna B

A	B
1. Los musulmanes	_____ llaman *Yavé* o *Señor* a Dios
2. Los judíos	_____ convenio entre Dios y su pueblo
3. alianza	_____ cree y sigue a Jesucristo
4. Cristiano	_____ llaman a Dios *Alá*

Contesta las siguientes preguntas.

5. ¿Qué es el ecumenismo? ¿Por qué es importante?

_____

_____

_____

Reflexiona y ora

No es siempre fácil respetar a las personas que tienen diferentes creencias.

Puedo ser más respetuoso _____

_____

Jesús, nos enseñaste como tratar a los demás. Esta semana,

ayúdame a _____

Review

Chapter 23

Match the words in column A to the correct their descriptions in column B.

A	B
1. Muslims	_____ call God *Yahweh* and *Lord*
2. Jews	_____ an agreement between God and his people
3. covenant	_____ believe in and follow the teachings of Jesus Christ
4. Christians	_____ call God *Allah*

Answer the questions.

5. What is ecumenism? Why is it important?

_____

_____

_____

Reflect & Pray

It is not always easy to respect people who believe and worship differently than we do.

I can be more respectful by _____

_____

Jesus, you showed us how to treat others. This week, help me to

_____

Respondemos y compartimos la fe

Compartiendo lo aprendido

Mira la ilustración. Usala para decir a tu familia lo que aprendiste en este capítulo.

Recuerda

- Los pueblos alrededor del mundo tienen diferentes creencias acerca de Dios.
- La fe judía es importante para los cristianos.
- Cristo llama a sus seguidores a la unidad.
- La Iglesia trabaja por la unidad cristiana.

Respetamos a todo el mundo

Hablen sobre formas en que la familia puede mostrar respeto por otras familias de diferente fe.

NUESTRA VIDA CATOLICA

Casas de adoración

La mayoría de la gente se reúne a rezar en casas de adoración. Los hindúes, los budistas y los judíos se reúnen en edificios llamados *templos*. Los judíos también se reúnen a orar y a estudiar en locales llamados *sinagogas*. Los edificios donde los musulmanes rezan se llaman *mezquitas*. Los cristianos tienen varios nombres para sus casas de adoración: *iglesia, capilla* y *catedral*. Respetamos el derecho de todas las personas a rezar y sus lugares santos.

Visita Sadlier en

www.CREEMOSweb.com

Conexión con el Catecismo
Para referencia vea los párrafos 843, 839, 838 y 855.

We Respond and Share the Faith

Sharing What I Learned

Look at the picture. Use it to tell your family what you learned in this chapter.

Remember

- People around the world have different beliefs about God.
- The Jewish faith is important to Christians.
- Christ calls his followers to be united.
- The Church works for Christian unity.

We Respect All People

Talk about ways that your family can show respect for families of different faiths.

OUR CATHOLIC LIFE

Houses of Worship

Most people gather to pray together in houses of worship. Hindus, Buddhists, and Jews gather to worship in buildings called *temples*. Jews also gather for prayer and study in buildings called *synagogues*. The buildings that Muslims worship in are called *mosques*. Christians have several names for their houses of worship—*church*, *chapel*, and *cathedral*. We respect the rights of all people to worship and their holy places.

Connect to the Catechism
For adult background and reflection, see paragraphs 843, 839, 838, and 855.

24 La Iglesia está en todo el mundo

Buena nueva

Il lieto messagio

✝ **Líder:** Vamos a escuchar la palabra de Dios.

Lector: Lectura del santo Evangelio según Lucas.

"Jesús les dijo: También tengo que anunciar las buenas noticias del reino de Dios a los otros pueblos, porque para esto fui enviado". (Lucas 4:43)

Palabra del Señor.

Todos: Gloria a ti, Señor Jesús.

🎵 **Somos una iglesia**

Un solo Señor, un solo Señor.
Un mismo Espíritu, un mismo Espíritu.
Somos una iglesia.

Vivamos nuestro llamado siendo humildes, siendo amables y pacientes.

☀ ¿Conoces a alguien de otro país?
¿Qué sabes de ese país?

CREEMOS

La Iglesia católica está en todo el mundo.

La Iglesia Católica está formada por personas de todas partes del mundo. Ellas tienen diferentes costumbres. Costumbres son formas en que un grupo de personas vive, se viste y celebra. Las costumbres y la historia de cada parte del mundo añade belleza y maravilla a la Iglesia.

The Church Is Worldwide

WE GATHER

 Leader: Let us gather quietly to listen to the word of God.

Reader: A reading from the Gospel of Luke

"He said to them, 'To the other towns also I must proclaim the good news of the kingdom of God, because for this purpose I have been sent.'" (Luke 4:43)

The Gospel of the Lord.

All: Praise to you, Lord Jesus Christ.

🎵 We Are the Church

Chorus

We are the Church, happy to be the children, in God's family.
We are the Church, happy to be the children, in God's family.

We are sharing the Good News. We are sharing the Good News.
Ev'ryone old and young. Ev'ryone weak and strong.

We are sharing the Good News, for (Chorus)

 Do you know someone from another country? What do you know about that country?

WE BELIEVE

The Church is all over the world.

The Catholic Church is made up of people from all over the world. They have different customs. Customs are the way a group of people live, dress, and celebrate. The customs and history of each part of the world add beauty and wonder to the Church.

Alrededor del mundo los católicos usan sus costumbres locales para alabar y adorar a Dios. En Africa los tambores y las danzas son parte de la celebración de la misa. Asia celebra con tradiciones especiales. Por ejemplo, en Corea y Filipinas usan instrumentos musicales y costumbres nativas para celebrar la misa.

Muchos católicos en los Estados Unidos siguen las costumbres de sus países nativos. Por ejemplo: muchos mexicanos mantienen la costumbre de encender luminarias. *Luminarias*, son fundas de papel llenas de arena con una vela encendida dentro. Antes de la misa en la tarde, las luminarias se colocan en el camino hacia la iglesia.

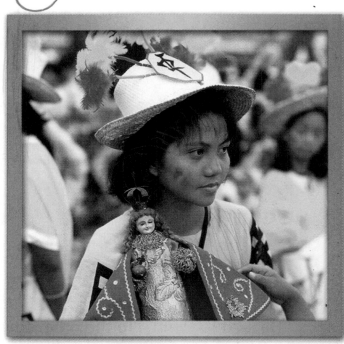
Filipinas

La Iglesia Católica es una mezcla maravillosa de personas con diferentes idiomas, música y costumbres. Estamos unidos por la fe en Jesús y nuestra membresía en la Iglesia. Podemos crecer y aprender de las tradiciones de cada uno.

Africa

Si pudieras alabar a Dios con católicos en cualquier parte del mundo, ¿dónde escogerías ir? ¿Por qué? en

Los católicos comparten la misma fe.

Los católicos en diferentes partes del mundo algunas veces celebran la fe católica de diferentes formas. Un **rito** es una forma especial de los católicos celebrar, vivir y rezar a Dios.

La mayoría de los católicos en los Estados Unidos siguen el rito latino o romano. Otros católicos siguen uno de los ritos orientales.

All around the world Catholics use their local customs to praise and worship God. In Africa drums and tribal dances are part of the celebration of the Mass.

In Asia the Catholic Church celebrates with special traditions. For example, in Korea and in the Philippines musical instruments and native costumes add to the celebration of the Mass.

Many Catholics in the United States follow the customs of their native countries. For example, many Mexican Americans keep the custom of using luminarias. *Luminarias* are paper sacks filled with sand and lighted candles. Before evening Masses, luminarias are placed on paths leading to the church.

The Catholic Church is a wonderful mix of people with different languages, music, and customs. We are united by our faith in Jesus and our membership in the Church. We can all grow and learn from the traditions of one another.

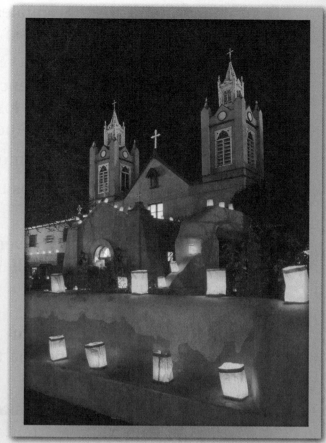
New Mexico, United States of America

If you could worship with Catholics in any part of the world, where would you choose to go? Why?

Catholics share the same faith.

Catholics in different parts of the world sometimes celebrate their Catholic faith in different ways. A **Rite** is a special way that Catholics celebrate, live, and pray to God.

Most Catholics in the United States follow the Latin, or Roman, Rite. Other Catholics follow one of the Eastern Rites.

The altar and icon screen at
Saint Michael's Russian Catholic Church

265

Los católicos de los ritos orientales y romano componen toda la Iglesia Católica. Estamos unidos en tres formas:

- Compartimos las mismas creencias. Profesamos esas creencias en los credos, por ejemplo, el Credo de los Apóstoles.

- Celebramos los siete sacramentos.

- Con nuestros obispos, estamos unidos al papa como una sola Iglesia.

Los católicos en todas partes viven como discípulos de Jesús en sus familias, escuelas y comunidades.

Celebración matrimonial iglesia Santo Cura de Ars

Piensa en los católicos de tu vecindario o ciudad. Escribe una forma en que practican su fe.

resan y van a Misa

Los católicos celebran su fe de diferentes formas.

Los católicos celebran y viven su fe de muchas formas. Por ejemplo, participan en la liturgia, oración oficial y pública de la Iglesia.

Sin embargo, los diferentes ritos tienen diferentes formas de celebrar. En la liturgia, las palabras de algunas oraciones no necesariamente son siempre las mismas. Las cosas que el sacerdote y el pueblo hacen, también son diferentes.

Las fotos en estas páginas muestran formas en como los ritos oriental y latino celebran su fe. Hablen sobre lo que están haciendo las personas en las fotos. ¿Qué es familiar para ti? ¿Qué preguntas tienes para las personas en estas fotos?

Comulgando

Habla de las formas en que tu parroquia celebra su fe. Después escenifícalo.

Catholics of the Eastern Rites and Latin Rite make up the whole Catholic Church. We are all joined together in three important ways.

- We all share the same beliefs. We state these beliefs in creeds such as the Apostles' Creed.

- We all celebrate the seven sacraments.

- With our bishops we are all united with the pope as one Church.

Catholics everywhere live as disciples of Jesus in their families, schools, and communities.

Think about Catholics in your neighborhood or city. Write one way they practice their faith.

Receiving the Eucharist

_____

Catholics celebrate their faith in different ways.

Catholics celebrate and live out their faith in many ways. For example, all Catholics participate in the liturgy, the official public prayer of the Church.

Celebrating the sacrament of Matrimony at Saint Michael's Russian Catholic Church

However, the different Rites have different ways of celebrating. In the liturgy, the wording of some of the prayers is not always the same. The things the priest and people do are a little different, too.

The pictures on these pages show ways the Eastern Rites and the Latin Rite celebrate their Catholic faith. Talk about what the people in these pictures are doing. What is familiar to you? What questions might you have for the people in these pictures?

Talk about ways your parish celebrates its faith. Then act one way out.

Somos la luz del mundo.

Los católicos están unidos como una sola comunidad. Estamos unidos con los católicos en todo el mundo. Rezamos y crecemos en santidad. No importa como celebremos, somos todos discípulos de Jesús. Seguimos las creencias y enseñanzas que nos han llegado de los apóstoles. Juntos tratamos de vivir, rezar y trabajar como nos enseñó Jesús.

Jesús dijo a sus discípulos: "Ustedes son la luz de este mundo. Procuren ustedes que su luz brille delante de la gente, para que, viendo el bien que ustedes hacen, todos alaben a su Padre que está en el cielo". (Mateo 5:14, 16)

Jesús llama a cada uno de nosotros a ser luz para que el mundo pueda ver. Cuando compartimos nuestros dones y talentos por el bien de los demás, somos luz para el mundo. Cuando seguimos el ejemplo de Jesús, otros pueden ver la bondad de Dios. Ellos pueden ver el poder del amor de Dios en el mundo.

Como católicos...

Todos los católicos están oficialmente inscritos en la Iglesia Católica. En la parroquia donde te bautizaron, tu nombre está escrito en un libro especial llamado *Registro Bautismal*. Tu nombre siempre estará ahí. Cuando celebras otros sacramentos, también son apuntados en ese libro.

Busca los nombres de las parroquias donde tus familiares fueron bautizados.

Vocabulario
rito (pp 317)

RESPONDEMOS

Piensa en tus dones y talentos. Ellos pueden ser cosas que te gusta hacer o cosas que haces bien. ¿Cómo puedes usar tus dones y talentos para el bien de otros? Dibuja una forma en que puedes brillar para que todo el mundo pueda ver.

Un talento de vilar

We are the light of the world.

As Catholics, we are united as one community. We are joined with Catholics all around the world. We pray and grow in holiness. No matter how we celebrate, we are all disciples of Jesus. We follow the beliefs and teachings handed down from the apostles. Together we try to live, pray, and work as Jesus taught.

Jesus told his disciples, "You are the light of the world. Your light must shine before others, that they may see your good deeds and glorify your heavenly Father." (Matthew 5:14, 16)

Jesus calls each of us to be a light for all the world to see. When we share our gifts and talents for the good of others, we are a light in the world. When we follow Jesus' example, others can see the goodness of God. They can see the power of God's love in the world.

As Catholics...

All Catholics are officially listed as members of the Catholic Church. In the parish where you were baptized, your name is written down in a special book called the *Baptismal Register*. Your name will always be there. As you celebrate other sacraments, they are also recorded in the Baptismal Register.

Find out the names of the parishes where your family members were baptized.

Key Words

Rite (p. 320)

WE RESPOND

Think about your gifts and talents. They could be things that you enjoy doing or things that you do well. How can you use your gifts and talents for the good of others? Draw one way you can shine for all the world to see.

Encierra en un círculo V si la oración es verdadera y F si es falsa.

1. Los católicos viven en todo el mundo.

(V)   F

2. Rito es una forma especial de los católicos celebrar, vivir y rezar a Dios.

(V)   (F)

3. Sólo los católicos celebran los siete sacramentos.

V   (F)

4. Todos los católicos están unidos con su obispo y el papa.

(V)   (F)

Contesta la siguiente pregunta.

5. Eres una luz en el mundo. ¿Qué significa eso?

si   es   vilar   para mi

_____

Reflexiona y ora

Celebro, rezo y vivo mi fe

aydo a los   demas

Termina la oración.

Padre celestial, estamos unidos por nuestra fe en Jesucristo, tu

Hijo. Ayuda a los miembros de tu Iglesia a _____

Review

Circle T if the sentence is true. Circle F if the sentence is false.

1. Catholics live all over the world.

　　　　　　　　T　　　　　　　F

2. A Rite is a special way that Catholics celebrate, live, and pray to God.

　　　　　　　　T　　　　　　　F

3. Only some Catholics celebrate seven sacraments.

　　　　　　　　T　　　　　　　F

4. All Catholics are united with their bishops and the pope.

　　　　　　　　T　　　　　　　F

Answer the question.

5. You are a light in the world. What does this mean?

_____

_____

Reflect & Pray

I celebrate, live, and pray my faith by

_____

Finish this prayer.

Heavenly Father, we are united by our belief in Jesus Christ, your

Son. Help all members of your Church to _____.

Respondemos y compartimos la fe

Compartiendo lo aprendido

Mira la ilustración. Usala para decir a tu familia lo que aprendiste en este capítulo.

Recuerda

- La Iglesia Católica está en todo el mundo.
- Los católicos comparten la misma fe.
- Los católicos celebran su fe en diferentes formas.
- Somos la luz del mundo.

Oración en familia

"Oh Dios, que te alaben
  los pueblos;
¡que todos los pueblos
  te alaben!" (Salmo 67:3)

NUESTRA VIDA CATÓLICA

Una fe, muchos idiomas

La Iglesia Católica respeta los idiomas de sus miembros. La misa y los sacramentos son celebrados en muchos idiomas, por ejemplo: inglés, francés, español, polaco, armenio, griego, ucraniano, albano, sirio, rumano. También se celebran en las lenguas de los indios de los Estados Unidos.

Visita Sadlier en

www.CREEMOSweb.com

Conexión con el Catecismo
Para referencia vea los párrafos 835, 1203, 1204 y 2105.

We Respond and Share the Faith

Sharing What I Learned

Look at the picture. Use it to tell your family what you learned in this chapter.

Remember

- The Catholic Church is all over the world.
- All Catholics share the same faith.
- Catholics celebrate their faith in different ways.
- We are the light of the world.

Family Prayer

"May the peoples praise you, God; may all the peoples praise you!"

(Psalm 67:4)

OUR CATHOLIC LIFE

One Faith, Many Languages

The Catholic Church shows respect for the languages of its members. The Mass and the sacraments are celebrated in many languages, such as English, French, Spanish, Polish, Armenian, Greek, Ukrainian, Albanian, Romanian, Syrian, Coptic, and Ethiopian. They are also celebrated in many Native American languages.

Connect to the Catechism
For adult background and reflection, see paragraphs 835, 1203, 1204, and 2105.

Somos pueblo santo de Dios

San Pedro

Santa Isabel de Hungría

NOS CONGREGAMOS

✝ **Líder:** Vamos a cantar una canción a todos los santos.

🎵 **Santos del Señor**

Santos del Señor,
santos en el cielo,
rueguen por todos nosotros,
santos del Señor.

 ¿Cuáles son algunas formas en que podemos recordar y honrar a personas especiales que vivieron antes que nosotros?

CREEMOS

Pertenecemos a la comunión de los santos.

Dios es santo. El comparte su santidad con nosotros cuando somos bautizados. La palabra *santo* significa "alguien con santidad". Dios nos llama a todos a ser santos. **Santos** son seguidores de Cristo que vivieron vidas santas en la tierra y ahora comparten la vida eterna con Dios en el cielo.

Los santos son ejemplos de santidad. Aprendemos de ellos como amar a Dios y a los demás. Sus vidas nos muestran como ser verdaderos discípulos de Jesús.

We Are God's Holy People

WE GATHER

✝ **Leader:** Let us sing a song to the saints.

🎵 **Sing a Song to the Saints**

Sing a song to the saints,
the saints of God the most high.
Sing a song to the saints,
with names like yours and mine.

☀ What are some ways we remember
and honor special people who have
lived before us?

WE BELIEVE

We belong to the communion of saints.

God is holy. He shares his holiness with us
when we are baptized. The word *saint* means
"one who is holy." God calls all of us to be
saints. **Saints** are followers of Christ who
lived lives of holiness on earth and now
share in eternal life with God in heaven.

The saints are examples of holiness. We learn
from them how to love God and care for
others. Their lives show us how to be true
disciples of Jesus.

Saint Mary Magdalen

Saint Francis

La Iglesia honra a todos los santos en el cielo de manera especial el 1 de noviembre. Llamamos a ese día, Día de Todos los Santos. Ese día recordamos a todos las personas santas que han muerto antes que nosotros. Les pedimos que recen siempre por nosotros.

La unión de los miembros bautizados de la Iglesia en la tierra con los que están en el cielo y en el purgatorio es llamada **comunión de los santos**. Por el Bautismo estamos unidos a Cristo y unos con otros. Estamos unidos a todos los miembros de la Iglesia que viven en la tierra y que han muerto y están en el cielo o en el purgatorio.

🏃 Los santos son de todas partes del mundo. ¿Cuáles son algunos santos de los que sabes algo?

Rafael (1483–1570)
La Madona de la silla

Edith Catlin Phelps (1875–1961)
Madona al borde del camino

María es la mayor entre todos los santos.

María fue bendecida por Dios. Ella fue concebida sin pecado original. Esta creencia es llamada **inmaculada concepción**.

María fue escogida por Dios para ser la madre de su Hijo. María dijo sí: "Que Dios haga conmigo como me has dicho". (Lucas 1:38) María confió totalmente en Dios.

María amó y cuidó de Jesús. Ella escuchó sus enseñanzas y vio la forma en que él trató a los demás. Ella creyó en él cuando otros no. Ella estuvo al pie de la cruz cuando fue crucificado. Ella estuvo con los discípulos cuando el Espíritu Santo vino a ellos por primera vez.

Cuando el trabajo de María en la tierra terminó, Dios llevó su cuerpo y alma a vivir por siempre con Cristo resucitado. Esta creencia es llamada la **asunción**.

The Church honors all the saints in heaven in a special way on November 1. We call this day the feast of All Saints. On this day we remember the holy people who have gone before us. We ask them to pray for us always.

The union of the baptized members of the Church on earth with those who are in heaven and in purgatory is called the **communion of saints**. Through Baptism we are united to Christ and one another. We are united with all members of the Church who are alive on earth, and all who have died and are in heaven or purgatory.

Saints come from all over the world. Who are some saints you know about?

Father John Giuliani, Hopi Virgin and Child II

Mary is the greatest of all the saints.

Mary was blessed by God. She was free from original sin from the very first moment of her life. This belief is called the **Immaculate Conception**.

Mary was chosen by God and asked to be the mother of his Son. Mary said, "May it be done to me according to your word." (Luke 1:38) Mary trusted God completely.

Mary loved and cared for Jesus. She listened to his teachings and saw the ways he treated others. She believed in him when others did not. She stayed at the cross as he was dying. She was with the disciples when the Holy Spirit first came to them.

When Mary's work on earth was done, God brought her body and soul to live forever with the risen Christ. This belief is called the **Assumption**.

María fue la madre de Jesús. Ella es también la madre de toda la Iglesia. Jesús amó y honró a su madre. La Iglesia ama y honra a María. Cuando recordamos a María, recordamos a Jesús. Recordamos que Dios nos envió a su Hijo.

María es ejemplo para todos los discípulos de Jesús. María es la mayor entre todos los santos. Hacemos oraciones especiales en honor a María. El Ave María es una de esas oraciones. En el Ave María alabamos a María y le pedimos rezar por nosotros.

🧍 ¿Cómo podemos seguir el ejemplo de María? Juntos recen el Ave María pp 307.

La Iglesia recuerda y honra a María.

Los católicos en todo el mundo honran a María. Recordamos como Dios la bendijo. Recordamos a María cuando celebramos la misa en sus días de fiesta.

Otra forma de honrar a María es rezando el rosario. El rosario combina muchas oraciones. Cuando rezamos el rosario, recordamos tiempos especiales en las vidas de María y Jesús. Los misterios del rosario recuerdan esos momentos especiales. Recordamos diferentes misterios al inicio de cada decena, o conjunto de diez cuentas.

🧍 Con un compañero hablen del por qué el rosario es una oración especial. Planifiquen cuando pueden rezar el rosario.

Misterios gozosos
La anunciación
La visitación
El nacimiento de Jesús
La presentación de Jesús en el Templo
El niño perdido y encontrado en el Templo

Misterios dolorosos
La agonía de Jesús en el huerto
Jesús es azotado en una columna
Jesús es coronado de espinas
Jesús carga con la cruz
La crucifixión de Jesús

Misterios gloriosos
La resurrección de Jesús
La ascensión
La venida del Espíritu Santo a los Apóstoles
La asunción de María
La coronación de María

Misterios de luz
El Bautismo de Jesús en el Jordán
El milagro de las bodas de Caná
Jesús anuncia el reino de Dios
La transfiguración
La institución de la Eucaristía

Mary was Jesus' mother. She is the mother of the Church, too. Jesus loved and honored his mother. The Church loves and honors Mary as well. When we remember Mary, we remember Jesus. We remember that God sent his Son to us.

Mary is an example for all of Jesus' disciples. Mary is the greatest of all the saints. We pray special prayers to honor Mary. The Hail Mary is one of these prayers. In the Hail Mary we praise Mary and ask her to pray for us.

How can we follow Mary's example? Pray together the Hail Mary found on page 311.

The Church remembers and honors Mary.

Catholics all over the world honor Mary. We remember how God blessed her. We remember Mary when we celebrate Mass on her feast days.

Another way to honor Mary is by praying the rosary. The rosary combines many prayers. When we pray the rosary, we recall special times in the lives of Mary and Jesus. The mysteries of the rosary recall these special times. We remember a different mystery at the beginning of each decade, or set of ten small beads.

With a partner discuss why the rosary is a special prayer. Plan when you can pray the rosary.

Joyful Mysteries
The Annunciation
The Visitation
The Nativity
The Presentation
The Finding of the Child Jesus in the Temple

Sorrowful Mysteries
The Agony in the Garden
The Scourging at the Pillar
The Crowning with Thorns
The Carrying of the Cross
The Crucifixion

Glorious Mysteries
The Resurrection
The Ascension
The Coming of the Holy Spirit upon the Apostles
The Assumption of Mary
The Coronation of Mary

Mysteries of Light
Jesus' Baptism in the Jordan
The Miracle at the Wedding at Cana
Jesus Announces the Kingdom of God
The Transfiguration
The Institution of the Eucharist

Dios nos llama a ser santos.

Los santos contestaron la llamada de Dios a vivir vidas santas. Hombres, mujeres y niños de todas partes del mundo han sido santos. He aquí algunos ejemplos:

- Santa Luisa de Marillac fue una esposa y madre. Después de la muerte de su esposo empezó las Hermanas de la Caridad. Ellas sirven a los necesitados.

- San Carlos Lwanga vivió en Uganda, Africa. Fue bautizado siendo adulto. Ayudó a muchas personas en Africa, incluyendo a los que servían en la corte del rey, a convertirse al cristianismo.

- Santa Juana de Arco fue un soldado en Francia. Ella trató de obedecer la voluntad de Dios.

- San Andres Nam Thuong fue síndico de un pueblo vietnamita. Enseñó a otros sobre la fe.

- Santo Domingo Savio fue un muchacho que rezó a Dios todos los días. Domingo vio a Dios en lo que pasaba en su vida diaria. El siempre estaba listo a ayudar a sus compañeros de clase.

Dios te llama a ser santo. ¿Cómo puedes llegar a ser santo? Puedes conocer y vivir tu fe todos los días. Puedes aprender todo lo que puedas sobre Jesús y la forma de tratar a otros. Puedes también aprender más sobre la vida de los santos.

Dios nos ayuda cada día a ser santos. Somos fortalecidos por la oración. Recibimos gracias en los sacramentos. También apoyo de nuestras familias y nuestra parroquia. Juntos podemos seguir a Jesús y crecer en santidad.

RESPONDEMOS

🏃 Junto con un compañero hagan una lista de personas que pueden ser puestas en una sitio titulado: "Santos de nuestros tiempos".

Como católicos...

Un santo *canonizado* es una persona que ha sido oficialmente nombrada santa por la Iglesia. La vida de esa persona ha sido examinada por los líderes de la Iglesia. Ellos han decidido que la persona vivió una vida de fe y santidad.

Cuando una persona es canonizada como santa, su nombre es registrado en una lista mundial de santos reconocidos por la Iglesia Católica. Cada santo canonizado tiene un día de fiesta especial.

¿Es tu parroquia nombrada por un santo? ¿Qué sabes de ese santo?

Vocabulario

santos (pp 317)

comunión de los santos (pp 315)

inmaculada concepción (pp 316)

asunción (pp 315)

God calls us to be saints.

The saints answered God's call to lead holy lives. Men, women, and children from every part of the world have become saints. Here are some examples:

- Saint Louise de Marillac was a wife and mother. After her husband died, she began the Daughters of Charity. They served the needs of people who were poor.

- Saint Charles Lwanga lived in Uganda, Africa. He was baptized as an adult. He helped many people in Africa, including those who served in the king's court, to become Christians.

- Saint Joan of Arc was a soldier in France. She tried her best to obey God's will.

- Saint Andrew Nam-Thuong was a mayor of a Vietnamese village. He taught others about the faith.

- Saint Dominic Savio was a boy who prayed to God everyday. Dominic saw God in the happenings of everyday life. He was always ready to help out a classmate.

As Catholics...

A *canonized* saint is a person who has been officially named a saint by the Church. The life of this person has been examined by Church leaders. They have decided that the person has lived a life of faith and holiness.

When someone is canonized a saint, his or her name is entered into the worldwide list of saints recognized by the Catholic Church. Each canonized saint has a special feast day.

Is your parish or school named after a saint? What do you know about him or her?

Key Words

communion of saints (p. 318)

saints (p. 320)

Immaculate Conception (p. 319)

Assumption (p. 318)

God calls you to become a saint, too. How can you become a saint? You can know and live your faith everyday. You can learn as much as possible about Jesus and the way he treated others. You can also find out more about the lives of the saints.

God helps each of us to be holy. We are strengthened by prayer. We receive grace from the sacraments. We also get support from our family and our parish. Together we can follow Jesus and grow in holiness.

WE RESPOND

With a partner. List people who could be on a "Saints of Our Time" Web site.

Usas estas palabras para completar las oraciones.

santos	comunión de los santos
inmaculada concepción	asunción

1. La unión de todos los miembros bautizados de la Iglesia en la tierra con los que están en el cielo y en el purgatorio

   es la _____.

2. La _____ es la creencia de que María, cuando terminó su trabajo en la tierra, fue llevada por Dios en cuerpo y alma al cielo a vivir con Cristo resucitado.

3. La _____ es la creencia de que María fue concebida sin pecado original.

4. Los que vivieron una vida de santidad y ahora comparten

   la vida eterna con Dios son _____.

Contesta la siguiente pregunta.

5. ¿Cómo puedes hacerte un santo? _____

   _____

Reflexiona y ora

Los católicos tienen muchos títulos para María. Cada uno nos dice alguna cosa especial sobre ella. ¿En qué título de María piensas cuando la recuerdas? Escribe una oración usando ese título de María.

_____

Review

Use these terms to complete the sentences.

saints	communion of saints
Immaculate Conception	Assumption

1. The union of all the baptized members of the Church on earth with those who are in heaven and in purgatory is the

   _____.

2. The _____ is the belief that, when Mary's work on earth was done, God brought her body and soul to live forever with the risen Christ.

3. The _____ is the belief that Mary was free from original sin from the very first moment of her life.

4. Those who lived a life of holiness and now share in

   eternal life with God are _____.

Answer the question.

5. How can you become a saint? _____

   _____

Reflect & Pray

Catholics have many titles for Mary. Each title tells us something special about her. Which title do you think of when you remember Mary? Write a prayer using this title of Mary.

_____

Respondemos y compartimos la fe

Compartiendo lo aprendido

Mira la ilustración. Usala para decir a tu familia lo que aprendiste en este capítulo.

Recuerda

- Pertenecemos a la comunión de los santos.
- María es la mayor entre todos los santos.
- La Iglesia recuerda y honra a María.
- Dios nos llama a ser santos.

Familia de santos

Busca nombres de santos en tu vecindario. Pide a tus familiares compartir lo que saben de esos santos.

NUESTRA VIDA CATOLICA

Rezando por los muertos

Como miembros de la comunión de los santos, rezamos por todos los que han muerto. Lo hacemos en todas las misas. La Iglesia saca un día aparte cada año para recordar a los muertos. Es el 2 de noviembre, Día de todos los difuntos. Ese día rezamos por todos los que han muerto, especialmente durante el año anterior. Rezamos para que ellos gocen de la vida eterna con Dios.

Visita Sadlier en

www.CREEMOSweb.com

Conexión con el Catecismo
Para referencia vea los párrafos 957, 972, 971 y 2013.

We Respond and Share the Faith

Sharing What I Learned

Look at the picture. Use it to tell your family what you learned in this chapter.

Remember

- We belong to the communion of saints.
- Mary is the greatest of all the saints.
- The Church remembers and honors Mary.
- God calls us to be saints.

Family of Saints

Look for the names of saints in your neighborhood. Ask your family members to share what they know about each saint.

OUR CATHOLIC LIFE

Praying for the Dead

As members of the communion of saints, we pray for all those who have died. We do this at every Mass. The Church sets aside a special day each year for remembering the dead. This day is November 2, All Souls' Day. On this day we pray for all those who have died, especially during the past year. We pray that they may enjoy eternal life with God forever.

Connect to the Catechism
For adult background and reflection, see paragraphs 957, 972, 971, and 2013.

Visit Sadlier's

www.CREEMOS**web.com**

NOS CONGREGAMOS

✝ **Líder:** Los discípulos de Jesús le pidieron: "Señor, enséñanos a orar". (Lucas 11:1)

También nosotros rezamos siguiendo las enseñanzas de Jesús. Vamos juntos a rezar el Padrenuestro. (pagina 307)

☀ Nombra tu historia favorita. ¿Qué has aprendido de esa historia?

CREEMOS

Jesús usó parábolas para enseñar sobre el reino de Dios.

Jesús quiso enseñar al pueblo sobre el reino de Dios. El pueblo en tiempo de Jesús había escuchado sobre el reino de Dios. Muchos de ellos pensaban que el reino era poder y dinero. Ellos pensaron que era como cualquier otro reino.

El reino del cual Jesús enseñó no era el reino que la gente esperaba. Jesús quería que todo el mundo supiera que el reino de Dios es el poder del amor de Dios activo en el mundo. Para ayudarles a entenderlo Jesús contó parábolas al pueblo. Una **parábola** es una historia corta que usa cosas de la vida diaria. Parábolas son historias con un mensaje.

The Kingdom of God Continues to Grow

WE GATHER

✝ **Leader:** The disciples of Jesus said to him, "Lord, teach us to pray." (Luke 11:1)

We, too, pray by following the teachings of Jesus. Let us pray the Lord's Prayer together. (page 311)

 Name a favorite story. What have you learned from this story?

WE BELIEVE

Jesus used parables to teach about the Kingdom of God.

Jesus wanted to teach the people about God's Kingdom. The people of Jesus' time had heard about the Kingdom of God. Many of them thought God's Kingdom was about power and money. They thought it was like an earthly kingdom.

The kingdom that Jesus taught about was not the kingdom the people expected. Jesus wanted everyone to know that the Kingdom of God is the power of God's love active in the world. To help them understand this, Jesus told the people parables. A **parable** is a short story that uses things from everyday life. Parables are stories with a message.

📖 Lucas 13:18–19

Jesús describió el reino de Dios con esta parábola. El dijo: "¿A qué se parece el reino de Dios y con qué puedo compararlo? Es como una semilla de mostaza que un hombre siembra en su campo, y que crece hasta llegar a ser como un árbol, tan grande que las aves hacen nidos en sus ramas". (Lucas 13:18–19)

Jesús estaba diciendo a sus discípulos que, a pesar de pequeño, el reino puede crecer. Cuanto más responda el pueblo al amor de Dios, más crecerá el reino de Dios. Cuando creemos y seguimos a Jesucristo, respondemos al amor de Dios y el reino crece.

🤸 Nombra algunos signos del amor de Dios activo en nuestro mundo.

Jesús enseñó que el reino de Dios crecería.

Jesús enseñó a sus discípulos que el reino de Dios es un reino de amor. El amor de Dios está activo entre ellos. Con las palabras y obras de Jesús, empezó el reino. El reino crecería más cuando más personas siguieran a Jesús y creyeran en su mensaje.

El reino empieza con la buena nueva de Jesucristo. Continúa cuando nosotros, sus discípulos, respondemos al amor de Dios. Mostramos con nuestras palabras y obras que el amor de Dios está activo en nuestras vidas y en el mundo. Rezamos para que el amor de Dios reine en el mundo. Rezamos por el cumplimiento del reino de Dios.

🤸 Escribe una parábola describiendo el reino de Dios. Usa cosas que sean familiares a la gente de hoy. Comparte tu parábola con el grupo.

Jesus once described the Kingdom of God with this parable. He said, "What is the kingdom of God like? To what can I compare it? It is like a mustard seed that a person took and planted in the garden. When it was fully grown, it became a large bush and 'the birds of the sky dwelt in its branches.'" (Luke 13:18–19)

Jesus was telling his disciples that, although small, the kingdom would grow. As more people respond to God's love, the Kingdom of God will grow. When we believe in and follow Jesus Christ, we respond to God's love and the kingdom grows.

Name some signs of God's love active in our world today.

Jesus taught that the Kingdom of God will grow.

Jesus taught his disciples that the Kingdom of God is a kingdom of love. God's love was already active among them. Through Jesus' words and actions, the kingdom had begun. The kingdom would grow as more people followed Jesus and believed his message.

The kingdom begins with the good news of Jesus Christ. It continues when we, his disciples, respond to God's love. We show by our words and actions that God's love is active in our lives and in the world. We pray for the time when God's love will rule the world. We pray for the coming of God's Kingdom in its fullness.

Make up a new parable that describes the Kingdom of God. Use things that are familiar to people today. Share your parable with your group.

Los milagros de Jesús fueron signos del reino de Dios.

Jesús hizo cosas maravillosas que sólo Dios puede hacer. El calmó tempestades, hizo ver a los ciegos, caminó sobre las aguas y convirtió el agua en vino. Estos maravillosos eventos están más allá del poder humano. Estos son **milagros**.

Los milagros de Jesús mostraron que él era divino. Eran señales especiales de que el reino de Dios estaba presente en él. Sus milagros ayudaron a la gente a creer que él era el Hijo de Dios.

Cristo caminando sobre las aguas, Miniatura de Armenia, S. XII–XIII

 Mateo 14:22–33

Un día los discípulos de Jesús fueron en un bote al mar. Jesús se fue solo a una montaña a rezar. Al llegar la noche el bote, una millas dentro del mar, estaba siendo movido por las olas, porque el viento estaba en su contra. Jesús camina hacia ellos, camina sobre el mar. Cuando los discípulos lo vieron caminar sobre el mar se aterrorizaron. "Es un fantasma", decían y gritaban asustados. Cuando Jesús les habló: "¡Tengan valor, soy yo, no tengan miedo!" Pedro le contestó: "Señor, si eres tú, ordena que yo vaya hasta ti sobre el agua". El le dijo: "Ven". Pedro salió del bote y empezó a caminar sobre las aguas hacia Jesús. Pero cuando vio lo fuerte que era el viento sintió miedo y empezó a hundirse, él gritó: "¡Sálvame Señor!" Inmediatamente Jesús extendió su mano y lo agarró. (Mateo 14:24–31)

Después Jesús y Pedro entraron al bote y el viento se calmó. "Tú eres el Hijo de Dios". (Mateo 14:33)

Al caminar sobre las aguas Jesús fortaleció la fe de los discípulos. Los primeros discípulos conocieron a Jesús, vieron sus milagros y creyeron. Ellos hablaron a otros sobre Jesús y trataron de vivir como él les enseñó. Con sus palabras y obras, los discípulos fueron testigos de Jesús.

Los testigos hablan y actúan basados en lo que conocen y creen. Somos llamados a mostrar nuestra fe en Jesús y a ser sus testigos.

Escribe una forma en que puedes mostrar a otros que tienes fe en Jesús.

Jesus' miracles were signs of the Kingdom of God.

Jesus did amazing things that only God could do. He calmed the stormy seas, made the blind to see, walked on water, and even changed water into wine. These amazing events were beyond human power. They were **miracles**.

Jesus' miracles showed that he was divine. They were special signs that God's Kingdom was present in him. His miracles helped people to believe that he was the Son of God.

Matthew 14:22–33

One day Jesus' disciples were out in a boat on the sea. Jesus went up to a mountain to pray alone. As night approached "the boat, already a few miles offshore, was being tossed about by the waves, for the wind was against it. During the fourth watch of the night, he came toward them, walking on the sea. When the disciples saw him walking on the sea they were terrified. 'It is a ghost,' they said, and they cried out in fear. At once [Jesus] spoke to them, 'Take courage, it is I; do not be afraid.' Peter said to him in reply, 'Lord, if it is you, command me to come to you on the water.' He said, 'Come.' Peter got out of the boat and began to walk on the water toward Jesus. But when he saw how [strong] the wind was he became frightened; and, beginning to sink, he cried out, 'Lord, save me!' Immediately Jesus stretched out his hand and caught him." (Matthew 14:24–31)

After Jesus and Peter got into the boat the wind stopped. The disciples who were in the boat said, "Truly, you are the Son of God." (Matthew 14:33)

Jesus' walking on water strengthened the faith of his disciples. The first disciples knew Jesus, saw his miracles, and believed. They told others about Jesus and tried to live as he taught them. By their words and actions, the disciples were witnesses to Jesus.

Witnesses speak and act based upon what they know and believe. We are called to show our faith in Jesus and to be his witnesses.

Write one way you can show others that you have faith in Jesus.

El reino de Dios crece.

Durante los últimos dos siglos, miembros de la Iglesia se han ayudado unos a otros a ser testigos de Jesucristo. También nosotros podemos ser testigos:

- tratando a los demás con amabilidad y respeto
- viviendo en paz con todos
- siendo justos con todos
- haciendo lo correcto aun cuando sea difícil
- siendo miembros fieles de la Iglesia
- trabajando juntos por la justicia y la paz.

En el Padrenuestro rezamos por el cumplimiento del reino de Dios que tendrá lugar en la segunda venida de Jesús en gloria. La venida de Jesús al final de los tiempos será un evento de gozo. Traerá el cumplimiento del reino de Dios.

La Iglesia no sólo reza por la venida del reino de Dios. También pedimos a Dios Padre nos ayude a predicar el reino en nuestras familias, escuelas y vecindarios. Todos en la Iglesia trabajan juntos para que el amor de Dios pueda estar activo y presente en el mundo.

RESPONDEMOS

¿Qué pondrías en una cápsula de tiempo para mostrar como la Iglesia ha expandido el reino de Dios? ¿Por qué?

rosaria

Como católicos...

Santa Isabel de Hungría es un ejemplo de alguien que creyó en Jesús y trabajó para expandir el reino de Dios. En el siglo XIII, Isabel fue una princesa en Hungría. Ella era casada y tenía tres hijos. Vivió en un castillo y tenía más cosas de las que podía necesitar. Pasó su vida ayudando a los enfermos y los pobres. Ella construyó un hospital y dio comida a los que tenían hambre.

Después que murió su esposo, Isabel usó su dinero para construir refugios para los desamparados, los enfermos y los ancianos.

Investiga cuando la Iglesia celebra la fiesta de Santa Isabel de Hungría.

Vocabulario

parábola (pp 316)

milagros (pp 316)

The Kingdom of God grows.

For the past two thousand years, members of the Church have helped one another to be witnesses to Jesus Christ. We can be witnesses by:

- treating people with kindness and respect
- living peacefully with one another
- being fair with all those we meet
- doing what is right even when it is hard
- being faithful members of the Church
- working together for justice and peace.

In the Lord's Prayer we pray for the final coming of God's Kingdom that will take place when Jesus returns in glory. Jesus' coming at the end of time will be a joyful event. It will bring about the fullness of God's Kingdom.

The Church does not pray only for the coming of God's Kingdom. We also ask God the Father to help us to spread the kingdom in our families, schools, and neighborhoods. Everyone in the Church works together so that God's love may be active and present throughout the world.

WE RESPOND

What would you put in a time capsule to show how the Church has spread God's Kingdom? Why?

_____

_____

_____

_____

Key Words

parable (p. 319)

miracles (p. 319)

As Catholics...

Saint Elizabeth of Hungary is an example of someone who believed in Jesus and worked to spread God's Kingdom. In the thirteenth century, Elizabeth was a princess in the country of Hungary. She was married and had three children. She lived in a castle and had more things than she would ever need. Yet she spent her life helping those who were sick and poor. She built a hospital and gave food to those who were hungry.

After her husband died, Elizabeth used all of her money to build shelters for those who were homeless, sick, and elderly.

Find out when the Church celebrates the feast day of Saint Elizabeth of Hungary.

293

Usa estas palabras para completar las oraciones.

milagros	reino	parábolas
testigos	semilla de mostaza	

1. Una _parábolas_ es una historia corta que usa cosas de la vida diaria.

2. Jesús dijo que el reino de Dios es como una _Semilla de mostaza_

3. _Milagros_ son cosas extraordinarias fuera del poder humano.

4. La Iglesia nos anima a ser _testigos_ de Jesucristo.

Contesta la siguiente pregunta.

5. ¿Cómo puedo ser testigo del reino de Dios hoy?

Tratando unos alos otros viviendo en paz con todos siendo justos con otros

Reflexiona y ora

Si tengo que predicar el reino de Dios, debo ser como el buen suelo. Cada día, no importa lo difícil que sea, trataré de ser testigo

del reino de Dios _____

Jesús, ayúdame a _____.

Use the words in the box to complete the sentences.

miracles	kingdom	parable
witnesses	mustard seed	

1. A _____ is a short story that uses things from everyday life.

2. Jesus said that the Kingdom of God is like a

_____ .

3. _____ are amazing events that are beyond human power.

4. The Church encourages us to be _____ to Jesus Christ.

Answer the question.

5. How can I witness to God's Kingdom today?

_____

_____

Reflect & Pray

If I am to spread God's Kingdom, I must be like the good, rich soil. Each day, no matter how hard it is, I will try to witness to God's Kingdom by _____

Jesus, help me to _____ .

Respondemos y compartimos la fe

Compartiendo lo aprendido

Mira la ilustración. Usala para decir a tu familia lo que aprendiste en este capítulo.

Recuerda

- Jesús usó parábolas para enseñar sobre el reino de Dios.
- Jesús enseñó que el reino de Dios crecería.
- Los milagros de Jesús fueron signos del reino de Dios.
- El reino de Dios crece.

Oración en familia

(Dirige a tu familia en esta oración.)

Dios de amor, ayúdanos a compartir tu amor y a compartir nuestro amor por ti. Amén.

NUESTRA VIDA CATÓLICA

Cuenta tu historia.

Ponga aquí su foto.

Visita Sadlier en

www.CREEMOSweb.com

Conexión con el Catecismo
Para referencia vea los párrafos, 546, 541, 548 y 2818.

We Respond and Share the Faith

Sharing What I Learned

Look at the picture. Use it to tell your family what you learned in this chapter.

Remember

- Jesus used parables to teach about the Kingdom of God.
- Jesus taught that the Kingdom of God will grow.
- Jesus' miracles were signs of the Kingdom of God.
- The Kingdom of God grows.

Family Prayer

(Lead your family in this prayer.)

Dear God, help us share our love for one another and share our love for you. Amen.

OUR CATHOLIC LIFE

Tell your story here.

Place your photo here.

Connect to the Catechism
For adult background and reflection, see paragraphs 546, 541, 548, and 2818.

Visit Sadlier's

www.CREEMOSweb.com

En el Tiempo de Pascua, celebramos la resurrección de Jesús.

NOS CONGREGAMOS

Nombra tres cosas que crees acerca de Dios.

CREEMOS

Jesús ha resucitado. En el Tiempo de Pascua celebramos la resurrección de Jesús durante cincuenta días. Este tiempo se inicia el Domingo de Pascua y termina cincuenta días después, el Domingo de Pentecostés.

El color usado es el blanco, símbolo de luz y gozo. El sacerdote usa vestimentas blancas durante el Tiempo de Pascua. El mantel que cubre el altar es también blanco. Todo el Tiempo de Pascua es una gran celebración de luz, vida y gozo por la resurrección de Jesús. Este tiempo fortalece nuestra fe en cristo resucitado.

"¡Dichosos los que creen sin haber visto!" (Juan 20:29)

Easter

In the Easter season, we celebrate the Resurrection of Jesus.

WE GATHER

Name three things that you believe about God.

WE BELIEVE

Jesus has risen from the dead! During the Easter season, we celebrate the Resurrection of Jesus, for fifty days! We begin the Easter season on Easter Sunday. It ends fifty days later, on Pentecost Sunday.

The color white is a symbol of light and joy. The priest wears white vestments all during the Easter season. The coverings on the altar are white, also. The entire Easter season is a great celebration of the light, life, and joy of the risen Jesus. This season strengthens our faith and shows our belief in the risen Jesus.

"Blessed are those who have not seen and have believed." (John 20:29)

📖 Juan 20:19–29

La noche de su resurrección, los discípulos de Jesús estaban escondidos en un cuarto. El Señor resucitado apareció de repente deseándoles paz.

El apóstol, Tomás no estaba ahí. Los demás le contaron sobre Jesús. El no les creyó. Tomás quería ver a Jesús con sus propios ojos. Quería tocarlo con sus propias manos.

Una semana más tarde los discípulos estaban reunidos de nuevo. Esta vez Tomás estaba con ellos. De repente Jesús apareció. Jesús les dijo: "¡Paz a ustedes!" Luego le dijo a Tomás: Mete aquí tu dedo, y mira mis manos; y trae tu mano y métela en mi costado. No seas incrédulo; ¡cree! Tomás entonces exclamó: ¡Mi Señor y mi Dios! Jesús le dijo: ¡Dichosos los que creen sin haber visto! (Juan 20:26–29)

Creemos en Jesucristo. Creemos en su vida, muerte y resurrección. Creemos que Jesús nos da nueva vida ahora y siempre.

👤 ¿Cuáles son algunas maneras en que mostramos nuestra fe en Jesucristo?

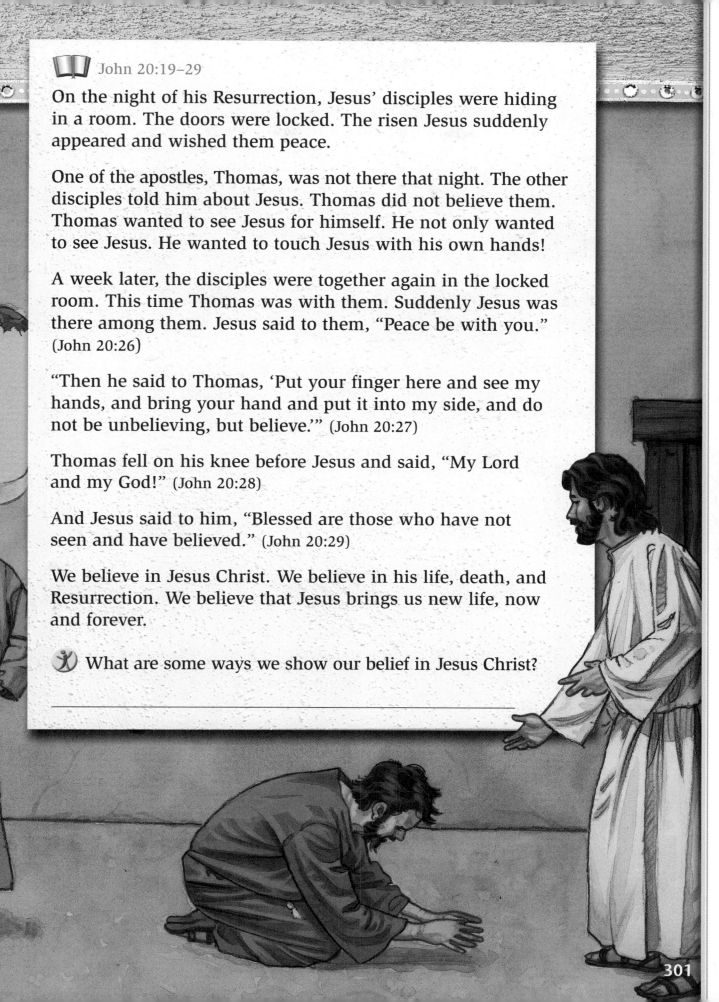

John 20:19–29

On the night of his Resurrection, Jesus' disciples were hiding in a room. The doors were locked. The risen Jesus suddenly appeared and wished them peace.

One of the apostles, Thomas, was not there that night. The other disciples told him about Jesus. Thomas did not believe them. Thomas wanted to see Jesus for himself. He not only wanted to see Jesus. He wanted to touch Jesus with his own hands!

A week later, the disciples were together again in the locked room. This time Thomas was with them. Suddenly Jesus was there among them. Jesus said to them, "Peace be with you." (John 20:26)

"Then he said to Thomas, 'Put your finger here and see my hands, and bring your hand and put it into my side, and do not be unbelieving, but believe.'" (John 20:27)

Thomas fell on his knee before Jesus and said, "My Lord and my God!" (John 20:28)

And Jesus said to him, "Blessed are those who have not seen and have believed." (John 20:29)

We believe in Jesus Christ. We believe in his life, death, and Resurrection. We believe that Jesus brings us new life, now and forever.

What are some ways we show our belief in Jesus Christ?

_____

EASTER

301

RESPONDEMOS

🎵 Gloria y Alabanza/Glory and Praise

Gloria y alabanza a ti, Señor Jesús.
Gloria y alabanza a ti, Señor.

Glory and praise to you, O Lord Jesus Christ.
Glory and praise to you, Lord Jesus Christ.

✝ Respondemos en oración

Líder: Señor, creemos, aumenta nuestra fe.

Todos: Señor, creemos, aumenta nuestra fe.

Líder: En esta Pascua nos regocijamos en la Resurrección. Te pedimos bendecirnos y fortalecer nuestra fe.

Lector: Para que podamos vivir como tu Hijo, Jesús nos pide.

Todos: Señor, aumenta nuestra fe.

Lector: Para que podamos compartir la buena nueva de Jesucristo con todo el que encontremos.

Todos: Señor, aumenta nuestra fe.

Lector: Para que podamos aumentar nuestro amor por ti.

Todos: Señor, aumenta nuestra fe.

Glory and Praise to Our God

Glory and praise to our God,
who alone gives light to our days.
Many are the blessings he bears
to those who trust in his ways.

God has watered our barren land
and spent his merciful rain.
Now the rivers of life
run full for anyone to drink.

✝ We Respond in Prayer

Leader: Lord, we believe, increase our faith.

All: Lord, we believe, increase our faith.

Leader: In this Easter season we rejoice in the Resurrection. We ask God to bless us and strengthen our belief.

Reader: So that we can live as your Son, Jesus, calls us to live.

All: Lord, increase our faith.

Reader: So that we can share the good news of Jesus Christ with all we meet.

All: Lord, increase our faith.

Reader: So that we can grow in our love for you.

All: Lord, increase our faith.

EASTER

303

Respondemos y compartimos la fe

Compartiendo lo aprendido

Mira la ilustración. Usala para decir a tu familia lo que aprendiste en este capítulo.

Juego de pascua

Este juego de pascua con huevos viene de Europa. Da a cada persona un huevo decorado. Túrnense topando los extremos de los huevos. Si un lado se rompe trata con el otro. Si ambos lados se rompen sales del juego. El huevo que dure más sin romperse o que sólo esté roto de un lado, es un huevo aleluya.

Oración de gozo durante la Pascua de Resurrección

El Tiempo de Pascua es tiempo de gozo. Celebramos y creemos en la resurrección de Jesús. Escribe una oración para que la familia exprese el gozo de Pascua.

_____

_____

_____

_____

Visita Sadlier en

www.CREEMOSweb.com

Conexión con el Catecismo
Para referencia vea el párrafo 644.

304

We Respond and Share the Faith

Sharing What I Learned

Look at the picture. Use it tell your family what you learned in this chapter.

An Easter Game

This Easter egg game comes from Europe. Give out dyed hard boiled eggs. Take turns lightly tapping the ends of your egg with one another. If one end cracks, try the other end. If both ends crack, you are out of the game. The egg that stays whole or only cracks on one end is the Alleluia egg!

Easter Prayer of Joy

The Easter season is a time of joy. We celebrate our belief in Jesus' Resurrection. Write a family prayer to express this Easter joy.

_____

_____

_____

_____

_____

Connect to the Catechism
For adult background and reflection, see paragraph 644.

Visit Sadlier's

www. CREEMOS **web.com**

Vía crucis

En el vía crucis seguimos los pasos de Jesús durante su pasión y muerte en la cruz.

Stations of the Cross

In the stations we follow in the footsteps of Jesus during his passion and death on the cross.

Jesús es condenado a muerte.
Jesus is condemned to die.

Jesús carga con la cruz.
Jesus takes up his cross.

Jesús cae por primera vez.
Jesus falls the first time.

Jesús encuentra a su madre.
Jesus meets his mother.

Simón ayuda a Jesús a cargar la cruz.
Simon helps Jesus carry his cross.

Verónica enjuga el rostro de Jesús.
Veronica wipes the face of Jesus.

Jesús cae por segunda vez.
Jesus falls the second time.

Jesús encuentra a las mujeres de Jerusalén.
Jesus meets the women of Jerusalem.

Jesús cae por tercera vez.
Jesus falls the third time.

Jesús es despojado de sus vestiduras.
Jesus is stripped of his garments.

Jesús es clavado en la cruz.
Jesus is nailed to the cross.

Jesús muere en la cruz.
Jesus dies on the cross.

Jesús es bajado de la cruz.
Jesus is taken down from the cross.

Jesús es dejado en un sepulcro.
Jesus is laid in the tomb.

Oraciones y Devociones

Señal de la Cruz

En el nombre del Padre, y del Hijo, y del Espíritu Santo. Amén.

Gloria

Gloria al Padre y al Hijo y al Espíritu Santo. Como era en el principio, ahora y siempre, y por los siglos de los siglos. Amén.

Padrenuestro

Padre nuestro, que estás en el cielo,
santificado sea tu Nombre;
venga a nosotros tu reino;
hágase tu voluntad en la tierra
como en el cielo.
Danos hoy nuestro pan de cada día;
perdona nuestras ofensas,
como también nosotros perdonamos
a los que nos ofenden;
no nos dejes caer en la tentación,
y líbranos del mal.

Ave María

Dios te salve María, llena eres de gracia;
el Señor es contigo;
bendita tú eres entre todas las mujeres,
y bendito es el fruto de tu vientre, Jesús.
Santa María, Madre de Dios,
ruega por nosotros pecadores, ahora y en
la hora de nuestra muerte. Amén.

Acto de Contrición

Dios mío,
con todo mi corazón me arrepiento
de todo el mal que he hecho
y de todo lo bueno que he dejado de hacer.
Al pecar, te he ofendido a ti,
que eres el supremo bien
y digno de ser amado sobre todas las cosas.
Propongo firmemente, con la ayuda
de tu gracia,
hacer penitencia, no volver a pecar
y huir de las ocasiones de pecado.
Señor, por los méritos de la pasión
de nuestro Salvador Jesucristo,
apiádate de mí. Amén.

Buena nueva

Credo de los apóstoles

Creo en Dios, Padre todopoderoso,
creador del cielo y de la tierra.

Creo en Jesucristo, su único Hijo,
nuestro Señor,
que fue concebido por obra y
gracia del Espíritu Santo,
nació de santa María Virgen,
padeció bajo el poder de Poncio Pilato,
fue crucificado, muerto y sepultado,
descendió a los infiernos,
al tercer día recitó de entre los muertos,
subió a los cielos
y está sentado a la derecha de Dios,
Padre todopoderoso.
Desde allí ha de venir a juzgar
a vivos y muertos.

Creo en el Espíritu Santo,
la santa Iglesia católica,
la comunión de los santos,
el perdón de los pecados,
la resurrección de la carne
y la vida eterna. Amén.

Visita al Santísimo Sacramento

Antes de la misa los domingos, o durante
otros momentos especiales, toma unos
minutos para visitar a Jesús presente
en el Santísimo Sacramento. Después
de decidir donde sentarte, arrodíllate
y en silencio habla con Jesús sobre tus
necesidades y tus esperanzas. Agradécele
su gran amor. Recuerda rezar por tu
familia y tu parroquia, especialmente
por los enfermos y necesitados.

Oración ante el Santísimo Sacramento

Jesús,
eres Dios con nosotros,
especialmente en este sacramento
de la Eucaristía.
Me amas tal como soy y me
ayudas a crecer.

Ven a estar conmigo
En todos mis gozos y penas.
Ayúdame a compartir tu paz y amor con
todo aquel que encuentre en mi camino.
Te lo pido en tu nombre. Amén.

El rosario

El rosario está compuesto de grupos de cuentas atadas en un círculo. Empieza con una cruz seguida de una cuenta grande y tres pequeñas. Hay otra cuenta grande, antes de la medalla, que da inicio a la primera "decena". Cada decena consiste en una cuenta grande y diez pequeñas.

Se empieza el rosario con la señal de la cruz. Después se recita el Credo de los apóstoles, un Padrenuestro, tres Ave Marías y un Gloria.

Para rezar cada decena se dice un Padrenuestro en la cuenta grande y un Avemaría en cada una de las diez cuentas pequeñas que siguen. Después de cada decena se reza un Gloria. Se reza una Salve al final del rosario.

Los misterios del rosario son eventos especiales en las vidas de Jesús y María. Al rezar cada decena se piensa en el misterio apropiado, gozoso, doloroso, glorioso o de luz.

Misterios gozosos

1. La anunciación
2. La visitación
3. El nacimiento de Jesús
4. La presentación de Jesús en el Templo
5. El niño Jesús es encontrado en el Templo

Misterios dolorosos

1. La agonía de Jesús en el Jardín
2. Jesús es azotado en una columna
3. Jesús es coronado de espinas
4. Jesús carga con la cruz
5. La crucifixión y muerte de Jesús

Misterios gloriosos

1. La resurrección
2. La ascensión
3. La venida del Espíritu Santo
4. La asunción de María al cielo
5. La coronación de María

Misterios de luz

1. El bautismo de Jesús en el Jordán
2. El milagro de las bodas de Caná
3. Jesús anuncia el reino de Dios
4. La transfiguración de Jesús
5. La institución de la Eucaristía

Los sacramentos

Sacramentos de iniciación

Bautismo

Confirmación

Eucaristía

Sacramentos de sanación

Penitencia y Reconciliación

Unción de los enfermos

Sacramentos de servicio y comunión

Orden Sagrado

Matrimonio

Los Diez Mandamientos

1. Yo soy el Señor, tu Dios. No tendrás otros dioses fuera de mí.

2. No tomarás en vano el nombre del Señor, tu Dios.

3. Guardarás el día del Señor para santificarlo.

4. Honra a tu padre y a tu madre.

5. No matarás.

6. No cometerás adulterio.

7. No robarás.

8. No darás testimonio falso contra tu prójimo.

9. No desearás la mujer de tu prójimo.

10. No codiciarás los bienes de tu prójimo.

Prayers and Practices

Sign of the Cross

In the name of the Father, and of the Son, and of the Holy Spirit. Amen.

Glory to the Father

Glory to the Father, and to the Son,
    and to the Holy Spirit:
as it was in the beginning,
    is now, and will be forever. Amen.

Our Father

Our Father, who art in heaven,
hallowed be thy name;
thy kingdom come;
thy will be done on earth
    as it is in heaven.
Give us this day our daily bread;
and forgive us our trespasses
as we forgive those
    who trespass against us;
and lead us not into temptation,
but deliver us from evil. Amen.

Hail Mary

Hail Mary, full of grace,
the Lord is with you!
Blessed are you among women,
and blessed is the fruit
    of your womb, Jesus.
Holy Mary, mother of God,
pray for us sinners,
now and at the hour of our death.
Amen.

Act of Contrition

My God,
I am sorry for my sins with all my heart.
In choosing to do wrong
and failing to do good,
I have sinned against you
whom I should love above all things.
I firmly intend, with your help,
to do penance,
to sin no more,
and to avoid whatever leads me to sin.
Our Savior Jesus Christ
suffered and died for us.
In his name, my God, have mercy.

Apostles' Creed

I believe in God, the Father Almighty,
  creator of heaven and earth.

I believe in Jesus Christ,
  his only Son, our Lord.
He was conceived by the power
  of the Holy Spirit
  and born of the Virgin Mary.
He suffered under Pontius Pilate,
  was crucified, died, and was buried.
He descended to the dead.
On the third day he rose again.
He ascended into heaven,
  and is seated at the right hand
    of the Father.
He will come again to judge
  the living and the dead.

I believe in the Holy Spirit,
  the holy catholic Church,
  the communion of saints,
  the forgiveness of sins,
  the resurrection of the body,
  and the life everlasting.
Amen.

Visits to the Blessed Sacrament

Before Mass on Sundays or at other special times, take a few minutes to visit Jesus, present in the Blessed Sacrament. After you have taken your place in church, kneel or sit quietly. Be very still. Talk to Jesus about your needs and your hopes. Thank Jesus for his great love. Remember to pray for your family and your parish, especially anyone who is sick or in need.

Prayer Before the Blessed Sacrament

Jesus,
you are God-with-us,
especially in this sacrament
of the Eucharist.
You love me as I am
and help me grow.

Come and be with me
in all my joys and sorrows.
Help me share your peace and love
with everyone I meet.
I ask in your name. Amen.

The Rosary

A rosary is made up group of beads arranged in a circle. It begins with a cross, followed by one large bead and three small ones. The next large bead (just before the medal) begins the first "decade." Each decade consists of one large bead followed by ten smaller beads.

Begin the rosary with the Sign of the Cross. Recite the Apostles' Creed. Then pray one Our Father, three Hail Marys, and one Glory to the Father.

To pray each decade, say an Our Father on the large bead and a Hail Mary on each of the ten smaller beads. Close each decade by praying the Glory to the Father. Pray the Hail, Holy Queen as the last prayer of the rosary.

The mysteries of the rosary are special events in the lives of Jesus and Mary. As you pray each decade, think of the appropriate Joyful Mystery, Sorrowful Mystery, Glorious Mystery, or Mystery of Light.

The Five Joyful Mysteries

1. The Annunciation
2. The Visitation
3. The Birth of Jesus
4. The Presentation of Jesus in the Temple
5. The Finding of Jesus in the Temple

The Five Sorrowful Mysteries

1. The Agony in the Garden
2. The Scourging at the Pillar
3. The Crowning with Thorns
4. The Carrying of the Cross
5. The Crucifixion and Death of Jesus

The Five Glorious Mysteries

1. The Resurrection
2. The Ascension
3. The Coming of the Holy Spirit upon the Apostles
4. The Assumption of Mary into Heaven
5. The Coronation of Mary in Heaven

The Five Mysteries of Light

1. Jesus' Baptism in the Jordan
2. The Miracle at the Wedding at Cana
3. Jesus Announces the Kingdom of God
4. The Transfiguration
5. The Institution of the Eucharist

The Sacraments

The Sacraments of Christian Initiation
Baptism

Confirmation

Eucharist

The Sacraments of Healing
Penance and Reconciliation

Anointing of the Sick

The Sacraments at the Service of Communion
Holy Orders

Matrimony

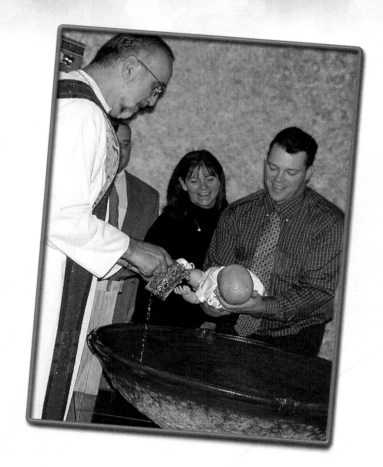

The Ten Commandments

1. I am the LORD your God: you shall not have strange gods before me.

2. You shall not take the name of the LORD your God in vain.

3. Remember to keep holy the LORD's Day.

4. Honor your father and your mother.

5. You shall not kill.

6. You shall not commit adultery.

7. You shall not steal.

8. You shall not bear false witness against your neighbor.

9. You shall not covet your neighbor's wife.

10. You shall not covet your neighbor's goods.

Glosario

alianza (pp 252)
acuerdo entre Dios y su pueblo

apóstol (pp 16)
alguien que es enviado

arrepentirse (pp 14)
alejarse del pecado y pedir yuda a Dios para ser mejor

asamblea (pp 178)
reunión del pueblo para rendir culto en nombre de Jesucristo

ascensión (pp 48)
regreso de Jesús a su Padre en el cielo

asunción (pp 276)
la creencia de que, cuando María terminó su trabajo aquí en la tierra, Dios la llevó en cuerpo y alma a vivir para siempre con Cristo resucitado

Biblia (pp 22)
colección de libros sobre el amor de Dios por nosotros, y sobre nuestro llamado a vivir como pueblo de Dios

características de la Iglesia (pp 90)
cuatro características que describen a la Iglesia: la Iglesia es una, santa, católica y apostólica

cielo (pp 38)
la vida eterna con Dios

comunión de los santos (pp 276)
la unión de los miembros bautizados de la Iglesia en la tierra con los que están en el cielo y en el purgatorio

conciencia (pp 202)
don de Dios que nos ayuda a saber lo que está bien y lo que está mal

Credo de los apóstoles (pp 100)
afirmaciones de las creencias cristianas basadas en las enseñanzas de Jesucristo y la fe de los apóstoles

cristianos (pp 50)
todos los bautizados que siguen a Cristo

crucificado (pp 28) clavado en una cruz

diácono (pp 126)
un hombre que no es sacerdote pero ha recibido el sacramento del Orden, y que sirve a la Iglesia predicando, bautizando y ayudando a los obispos y a los sacerdotes

diócesis (pp 88)
áreas locales de la Iglesia dirigidas por obispos

discípulos (pp 16)
los que siguen a Jesús

ecumenismo (pp 256)
trabajo por la unidad cristiana

encarnación (pp 10)
la verdad de que el Hijo de Dios se hizo hombre

eucaristía (pp 176)
el sacramento del Cuerpo y la Sangre de Jesús

evangelio (pp 60)
la buena nueva de que somos salvos por Jesucristo, el Hijo de Dios

fe (pp 26)
don de Dios que nos ayuda a creer y a confiar en él

gracia (pp 164)
compartir la vida y el amor de Dios

pecado (pp 198)
pensamiento, palabra o acción en contra de la ley de Dios

pecado original (pp 164)
el primer pecado cometido por los primeros humanos

Pentecostés (pp 50)
el día en que el Espíritu Santo vino a los apóstoles

peregrinación (pp 116)
viajes a lugares santos para orar

profeta (pp 14)
alguien llamado por Dios para hablar al pueblo

reino de Dios (pp 24)
el poder del amor de Dios activo en el mundo

resurrección (pp 28)
Jesús volvió a la vida después de la muerte

rito (pp 264)
formas especiales de los católicos celebrar, vivir y rezar a Dios

Rito de Conclusión (pp 192)
la última parte de la misa que nos recuerda seguir alabando y sirviendo a Dios cada día

Ritos Iniciales (pp 186)
la primera parte de la misa en la que nos unimos para prepararnos para escuchar la palabra de Dios y celebrar la Eucaristía

sacramento (pp 164)
signo especial dado por Jesús por medio del cual compartimos la vida y el amor de Dios

sacramentos de iniciación cristiana (pp 164)
Bautismo, Confirmación y Eucaristía

sacrificio (pp 176)
ofrenda a Dios por un sacerdote en nombre del pueblo

Santísima Trinidad (pp 10)
Tres personas en un Dios: Dios Padre, Dios Hijo y Dios Espíritu Santo

santos (pp 274)
seguidores de Cristo que vivieron vidas santas en la tierra y ahora comparten la vida eterna con Dios en el cielo

segunda venida (pp 38)
la venida de Jesús al final de los tiempos

sinagoga (pp 110)
lugar donde los judíos rezan y aprenden sobre Dios

vida eterna (pp 214)
vivir feliz por siempre con Dios en el cielo

vida pública (pp 14)
el trabajo que Jesús hizo con el pueblo

vocación (pp 136)
la llamada de Dios a servirle de manera especial

votos (pp 140)
promesas a Dios

Glossary

Acts of the Apostles (page 59)
book in the Bible that tells the story of the work of the apostles in the early Church

apostle (page 17)
one who is sent

Apostles' Creed (page 101)
Christian statement of beliefs based on the teachings of Jesus Christ and the faith of the apostles

Ascension (page 49)
Jesus' returning to the Father in heaven

assembly (page 179)
people gathered to worship in the name of Jesus Christ

Assumption (page 277)
the belief that, when Mary's work on earth was done, God brought her body and soul to live forever with the risen Christ

Bible (page 23)
collection of books about God's love for us and our call to live as God's people

bishops (page 89)
the successors of the apostles who lead the Church

Blessed Trinity (page 11)
The three Persons in one God: God the Father, God the Son, and God the Holy Spirit

Christians (page 51)
baptized people, followers of Jesus Christ

Church (page 51)
community of people who are baptized and follow Jesus Christ

communion of saints (page 277)
The union of the baptized members of the Church on earth with those who are in heaven and in purgatory

Concluding Rite (page 193)
the last part of the Mass that reminds us to continue praising and serving God each day

conscience (page 203)
God's gift that helps us know right from wrong

covenant (page 253)
an agreement between God and his people

crucified (page 29)
nailed to a cross

deacon (page 127)
a man who is not a priest but has received the sacrament of Holy Orders and serves the Church by preaching, baptizing, and assisting the bishop and priests

dioceses (page 89)
local areas of the Church led by bishops

disciples (page 17)
those who follow Jesus

ecumenism (page 257)
work toward Christian unity

eternal life (page 215)
living forever with God in the happiness of heaven

Eucharist (page 177)
the sacrament of Jesus' Body and Blood

faith (page 27)
a gift from God that helps us to believe and trust in him

funeral Mass (page 217)
a special Mass at which we thank God for the life of a person who has died

gospel (page 61)
good news that we are saved by Jesus Christ, the Son of God

grace (page 165)
our share in God's life and love

heaven (page 39)
life with God forever

Immaculate Conception (page 277)
the belief that Mary was free from original sin from the very first moment of her life

Incarnation (page 11)
the truth that God the Son became man

Introductory Rites (page 187)
the first part of the Mass in which we become one as we prepare to listen to God's word and to celebrate the Eucharist

justice (page 105)
treating everyone fairly and with respect

Kingdom of God (page 25)
The power of God's love active in the world

last judgment (page 41)
Jesus Christ coming at the end of time to judge all people

laypeople (page 137)
baptized members of the Church who share in the mission to bring the good news of Christ to the world

liturgy (page 113)
the official public prayer of the Church

Liturgy of the Eucharist (page 191)
the part of the Mass when the bread and wine become the Body and Blood of Christ, which we receive in Holy Communion

Liturgy of the Word (page 189)
the part of the Mass when we listen and respond to God's word

marks of the Church (page 91)
four characteristics that describe the Church: The Church is one, holy, catholic, and apostolic.

martyrs (page 63)
people who die for their faith

Mass (page 177)
celebration of the Eucharist

miracles (page 291)
amazing events that are beyond human power

mission (page 49)
special job

oil of the sick (page 215)
holy oil that has been blessed by a bishop for use in the Anointing of the Sick

original sin (page 165)
the first sin committed by the first human beings

parable (page 287)
a short story that uses things from everyday life

parish (page 123)
community of believers who worship and work together